‘사고력수학의 시작’

팡세

pensées

B3

2학년 | 유추

사고력 수학을 묻고 팡세가 답해요

Q: 사고력 수학은 '왜' 해야 하나요?

사고력 수학은 아이에게 낯선 문제를 접하게 함으로써 여러 가지 문제 해결 방법을 아이 스스로 생각하게 하는 것에 목적이 있어요. 정석적인 한 가지 풀이법만 알고 있는 아이는 결국 중등 이후에 나오는 응용 문제에 대한 해결력이 현저히 떨어지게 되지요. 반면 사고력 수학을 통해 여러 가지 풀이법을 스스로 생각하고 알아낸 경험이 있는 아이들은 한 번 막히는 문제도 다른 방법으로 뚫어낼 힘이 생기게 된답니다. 이러한 힘을 기르는 데 있어 사고력 수학이 가장 크게 도움이 된다고 확신해요.

Q: 사고력 수학이 '필수'인가요?

No but Yes! 초등 수학에서 가장 필수적인 것은 교과와 연산이지요. 또 중등에서의 서술형 평가를 대비하기 위한 서술형 학습과 어려운 중등 도형을 헤쳐나가기 위한 도형 학습 정도를 추가하면 돼요. 사고력 수학은 그 다음으로 중요하다고 할 수 있어요. 다만 만약 중등 이후에도 상위권을 꾸준하게 유지하겠다고 하시면 사고력 수학은 필수랍니다.

Q: 사고력 수학, 꼭 '어려운' 문제를 풀어야 하나요?

No! 기존의 사고력 수학 교재가 어려운 이유는 영재교육원 입시 때문이었어요. 상위권 중에서도 더 잘하는 아이, 즉 영재를 골라내는 시험에 사고력수학 문제가 단골로 출제되었고, 이에 대비하기 위해 만들어진 것이 초창기 사고력 수학 교재이지요. 하지만 모든 아이들이 영재일 수는 없고, 또 그래야할 필요도 없어요. 사고력 수학으로 영재를 확실하게 선별할 수 있는 것도 아니에요. 따라서 사고력 수학의 원래 목적, 즉 새로운 문제를 풀 수 있는 능력만 기를 수 있다면 난이도는 중요하지 않답니다. 오히려 어려운 문제는 수학에 대한 아이들의 자신감을 떨어뜨리는 부작용이 있다는 점! 반드시 기억해야 해요.

Q: 사고력 수학 학습에서 어떤 점에 '유의'해야 할까요?

가장 중요한 것은 아이가 스스로 방법을 생각할 수 있는 시간을 충분히 주는 거예요. 엄마나 선생님이 옆에서 방법을 바로 알려주거나 해답지를 줘버리면 사고력 수학의 효과는 없는 거나 마찬가지랍니다. 설령 문제를 못 풀더라도 아이가 스스로 고민하는 습관을 가지고, 방법을 찾아가는 시간을 늘리는 것이 아이의 문제해결력과 집중력을 기르는 방법이라고 꼭 새기며 아이가 스스로 발전할 수 있는 가능성을 믿어 보세요.

또 하나 더 강조하고 싶은 것은 문제의 답을 모두 맞힐 필요가 없다는 거예요. 사고력 수학 문제를 백점 맞는다고 해서 바로 성적이 쑥쑥 오르는 것이 아니에요. 사고력 수학은 훗날 아이가 더 어려운 문제를 풀기 위한 수학적 힘을 기르는 과정으로 봐야 하는 거지요. 그러니 아이가 하나 맞히고 틀리는 것에 일희일비하지 말고 우리 아이가 문제를 어떤 방법으로 풀려고 했고, 왜 어려워 하는지 표현하게 하는 것이 훨씬 중요하답니다. 사고력 수학은 문제의 결과인 답보다 답을 찾아가는 과정 그 자체에 의미가 있다는 사실을 꼭! 꼭! 기억해 주세요.

팡세의 구성과 특징

1. 패턴, 퍼즐과 전략, 유추, 카운팅 - 새로운 시대에 맞는 새로운 사고력 영역!
2. 아이가 혼자서도 술술 풀어나가며 자신감을 기르기에 딱 좋은 난이도!
3. 하루 10분 1장만 풀어도 초등에서 꼭 키워야 하는 사고력을 쑥쑥!

일일 소주제 학습

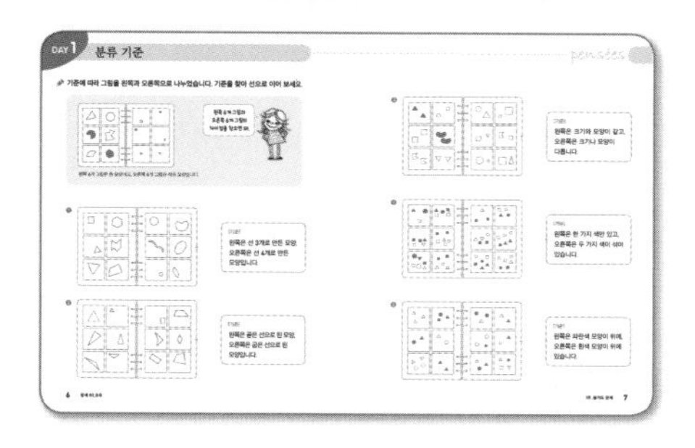

하루에 10분씩
매일 1장씩만
꾸준히 풀면 돼.

주차별 확인학습

5일 동안 배운 것 중
가장 중요한 문제를
복습하는 거야!

월간 마무리 평가

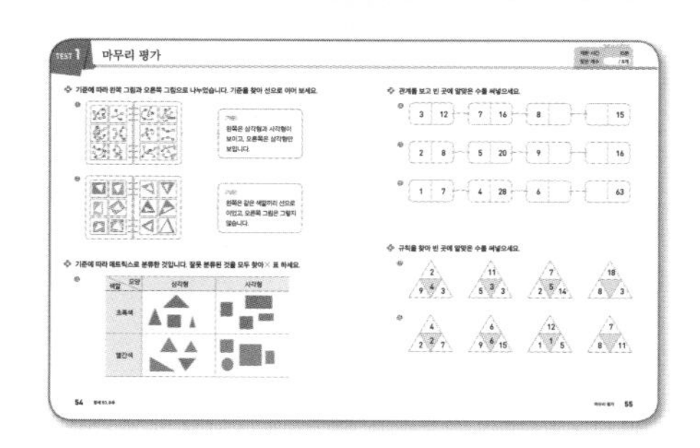

4주 동안 공부한
내용 중 어디가 부족한지
알 수 있다. 삐리삐리~

이 책의
차례

B3

pensées

1
주차

봉가드 문제

분류 기준

기준에 따라 그림을 왼쪽과 오른쪽으로 나누었습니다. 기준을 찾아 선으로 이어 보세요.

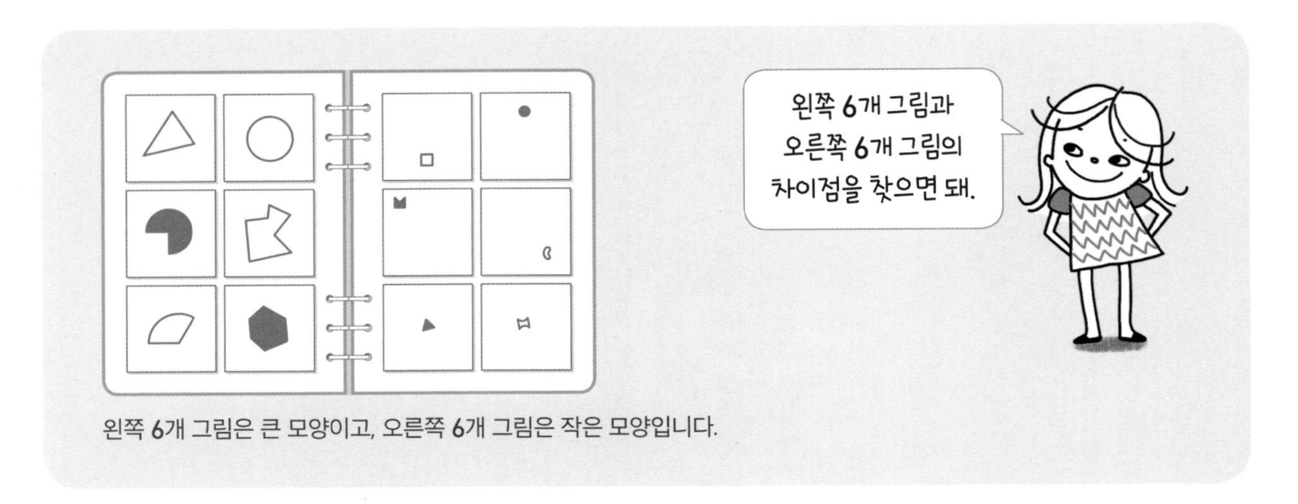

왼쪽 6개 그림과
오른쪽 6개 그림의
차이점을 찾으면 돼.
왼쪽 6개 그림은 큰 모양이고, 오른쪽 6개 그림은 작은 모양입니다.

❶

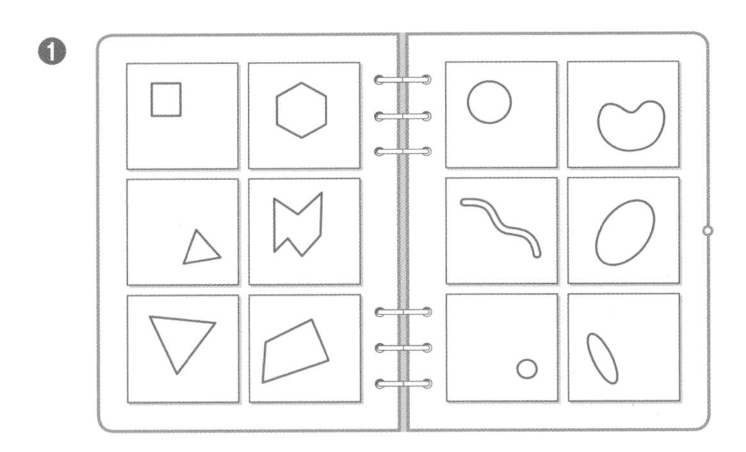

[기준]
왼쪽은 선 **3**개로 만든 모양,
오른쪽은 선 **4**개로 만든
모양입니다.

❷

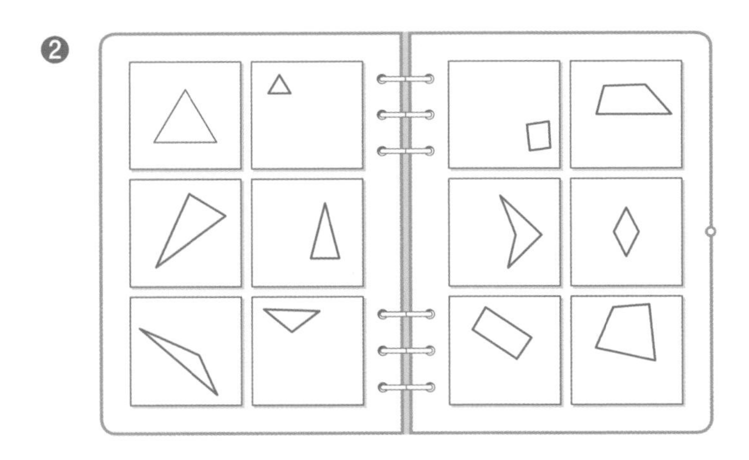

[기준]
왼쪽은 곧은 선으로 된 모양,
오른쪽은 굽은 선으로 된
모양입니다.

❸

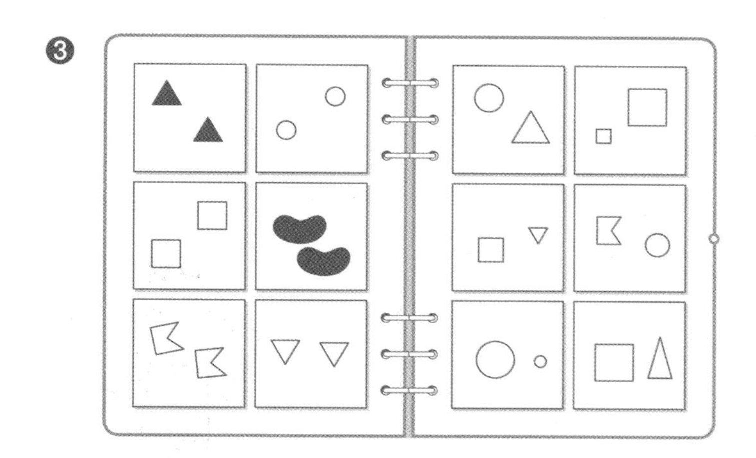

[기준]
왼쪽은 크기와 모양이 같고,
오른쪽은 크기나 모양이
다릅니다.

❹

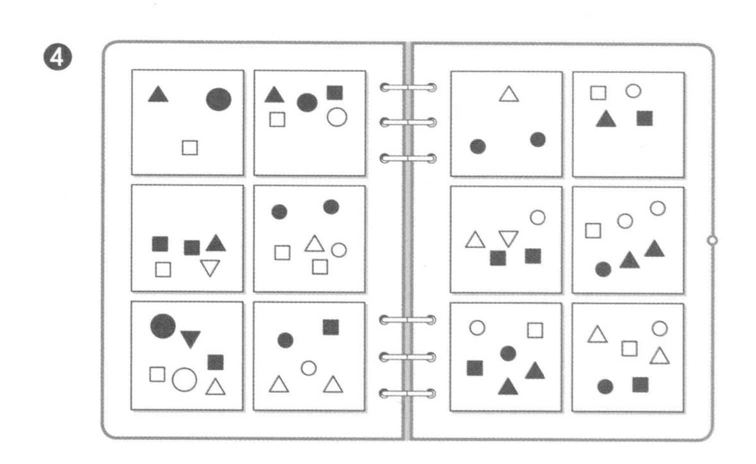

[기준]
왼쪽은 한 가지 색만 있고,
오른쪽은 두 가지 색이 섞여
있습니다.

❺

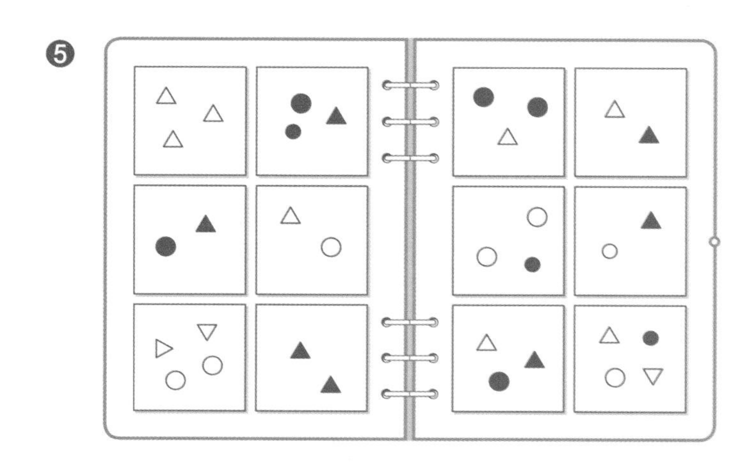

[기준]
왼쪽은 파란색 모양이 위에,
오른쪽은 흰색 모양이 위에
있습니다.

DAY 2

기준에 맞는 그림

기준에 맞는 그림에는 ◯표, 맞지 않는 그림에는 ╳표 하세요.

[기준]

◯ 모양이 △ 모양보다 작습니다.

❶

[기준]

선을 기준으로 양쪽에 + 모양의 개수가 같습니다.

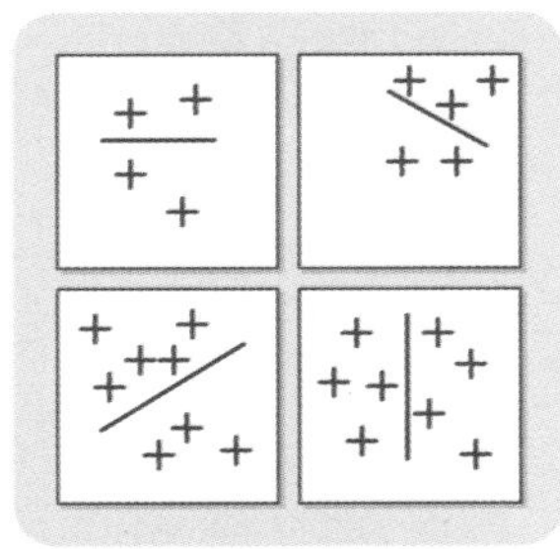

❷

[기준]

세로보다 가로가 더 깁니다.

❸

[기준]

색칠한 것은 ◯ 모양입니다.

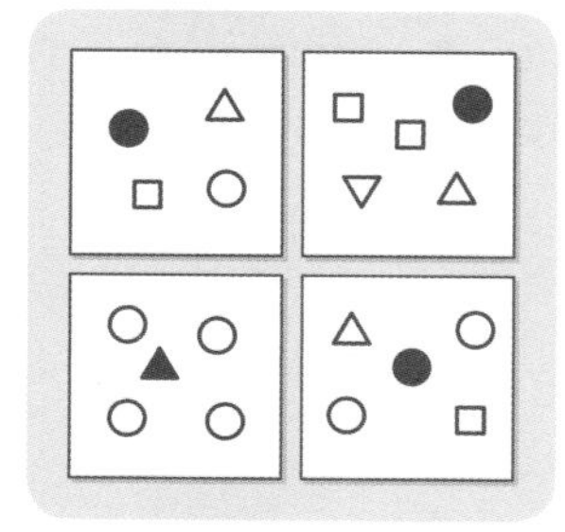

❹

[기준]

크기가 비슷한 모양입니다.

❺

[기준]

모양 안에 있는 점이 모양 밖에 있는 점보다 많습니다.

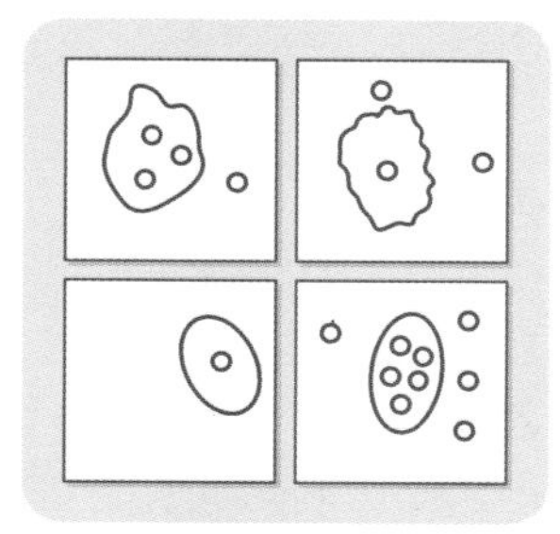

❻

[기준]

가운데에서 시작하여 시계 방향으로 선을 이었습니다.

DAY 3 기준에 따른 분류 (1)

기준에 따라 주어진 그림을 왼쪽과 오른쪽으로 나누어 보세요.

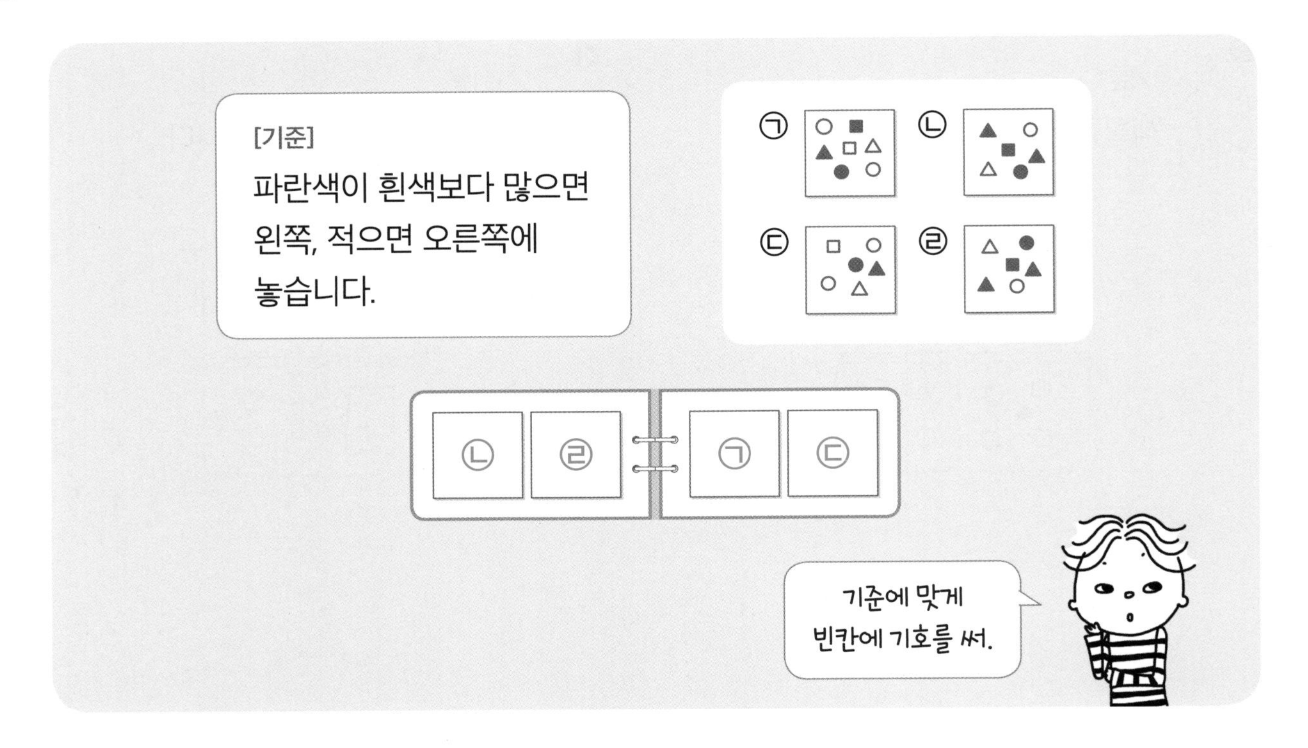

[기준]
파란색이 흰색보다 많으면 왼쪽, 적으면 오른쪽에 놓습니다.
㉠ ㉡ ㉢ ㉣
㉡ ㉣ ㉠ ㉢
기준에 맞게 빈칸에 기호를 써.

❶

[기준]
모양이 **1**개면 왼쪽, **2**개면 오른쪽에 놓습니다.

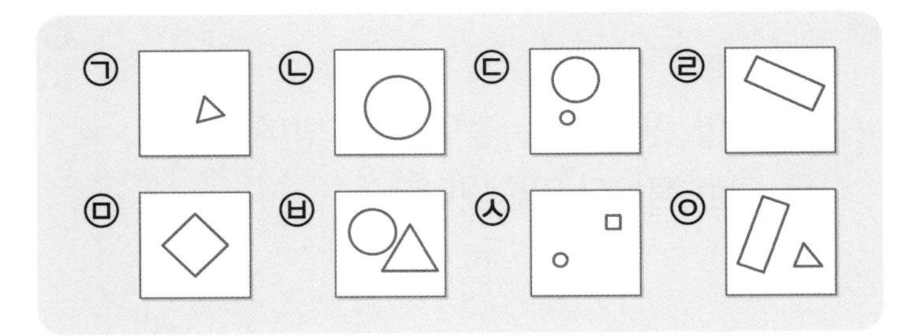

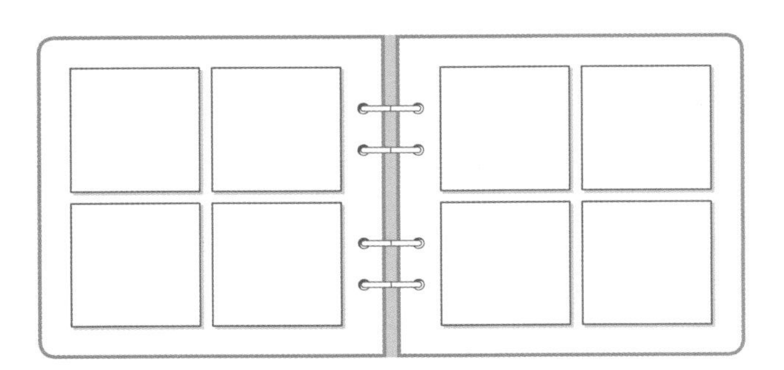

❷

[기준]

연필을 떼지 않고 그릴 때 선이 만나면 왼쪽, 만나지 않으면 오른쪽에 놓습니다.

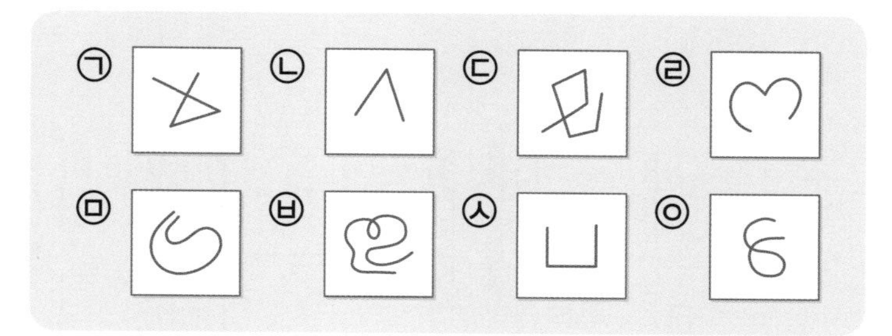

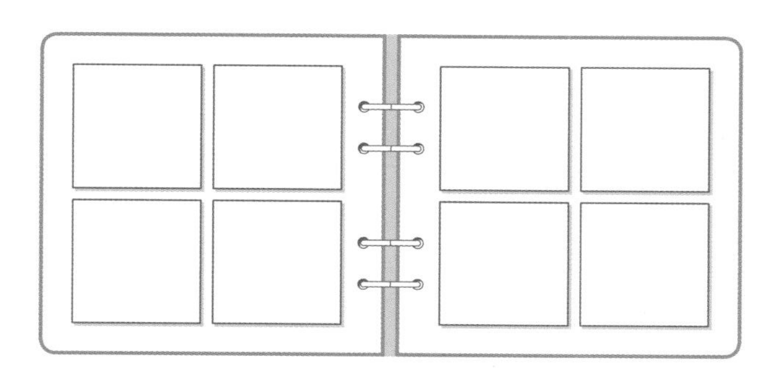

❸

[기준]

왼쪽 가지가 위에 있으면 왼쪽, 오른쪽 가지가 위에 있으면 오른쪽에 놓습니다.

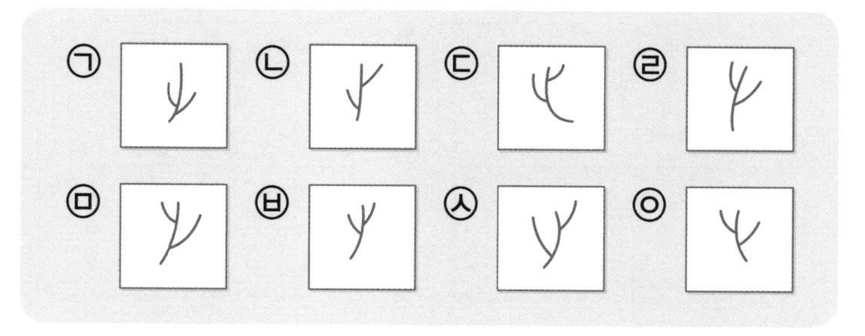

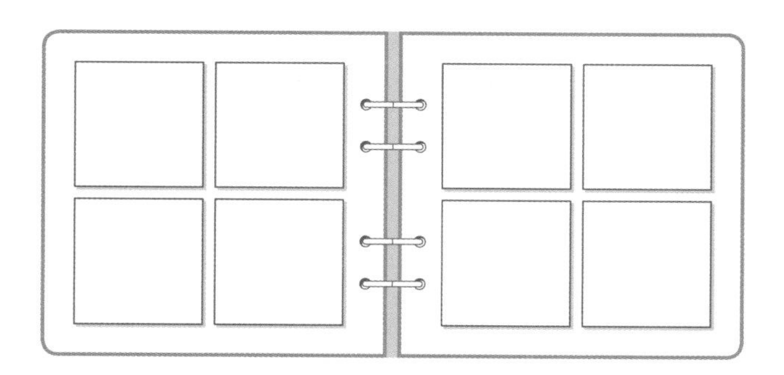

기준에 따른 분류 (2)

기준에 따라 나눈 것을 보고 왼쪽에 들어가야 하는 그림에는 '왼', 오른쪽에 들어가야 하는 그림에는 '오'를 써넣으세요.

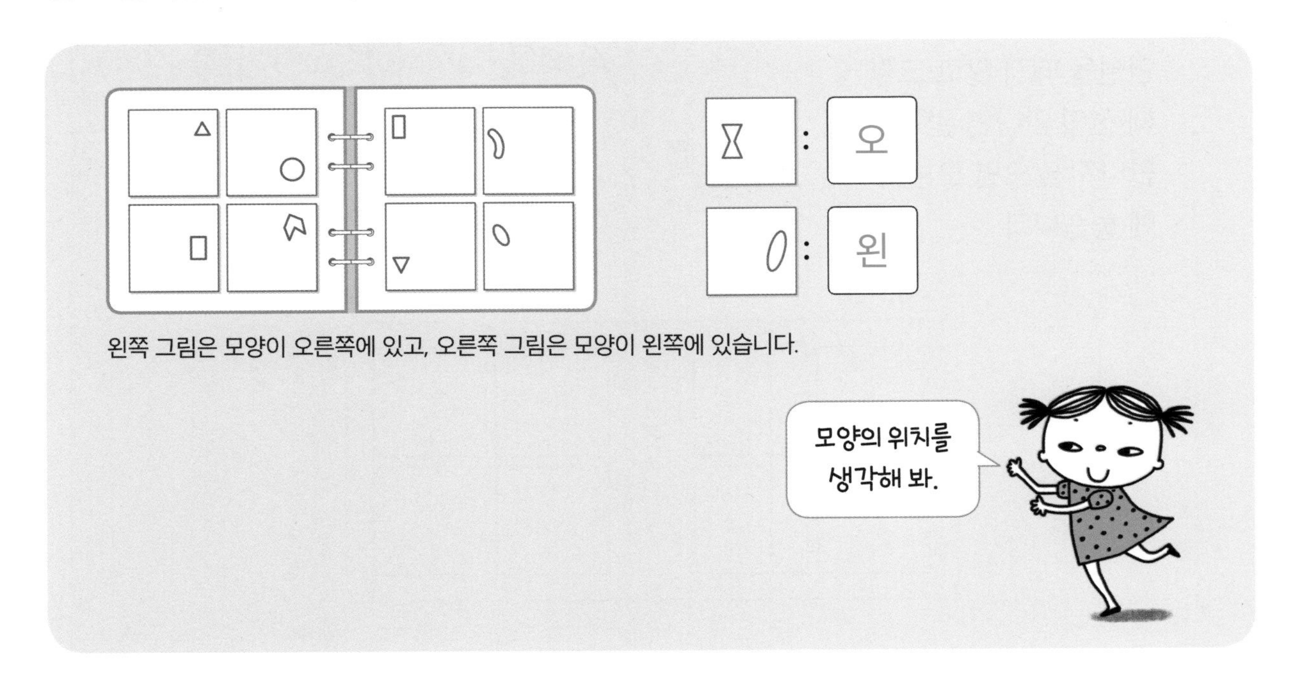

오
왼
왼쪽 그림은 모양이 오른쪽에 있고, 오른쪽 그림은 모양이 왼쪽에 있습니다.
모양의 위치를 생각해 봐.

❶

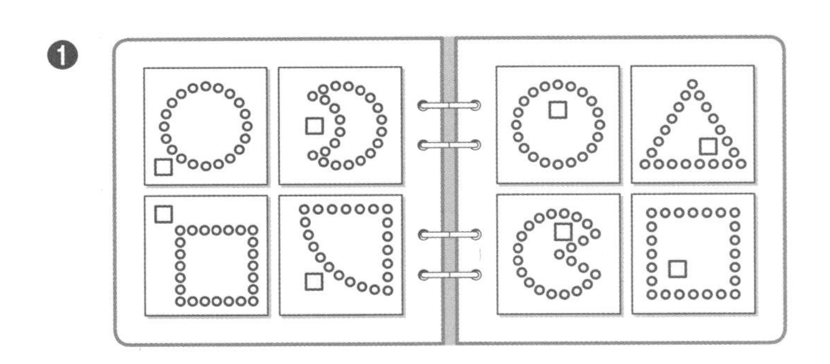

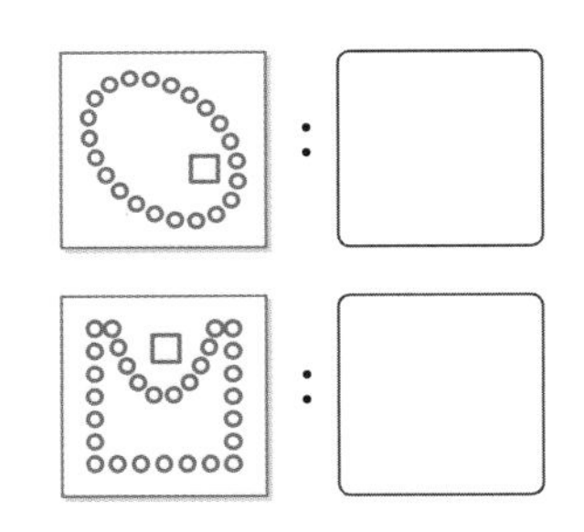

❷

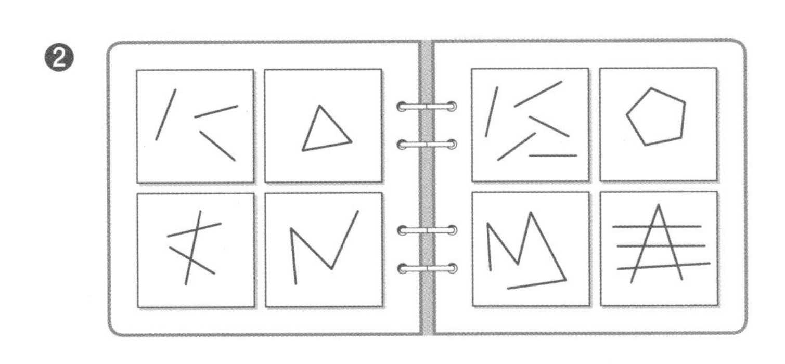

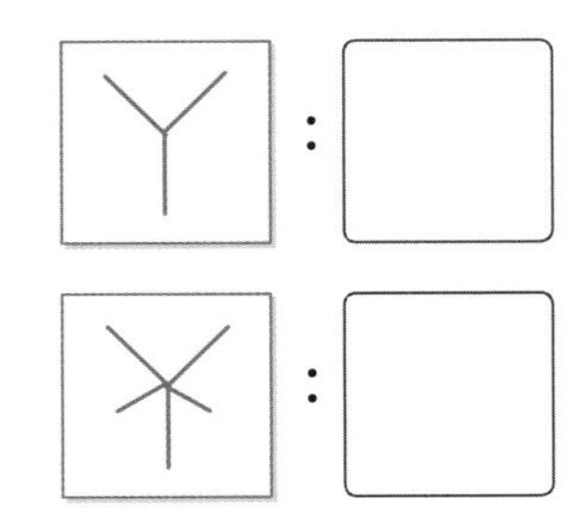

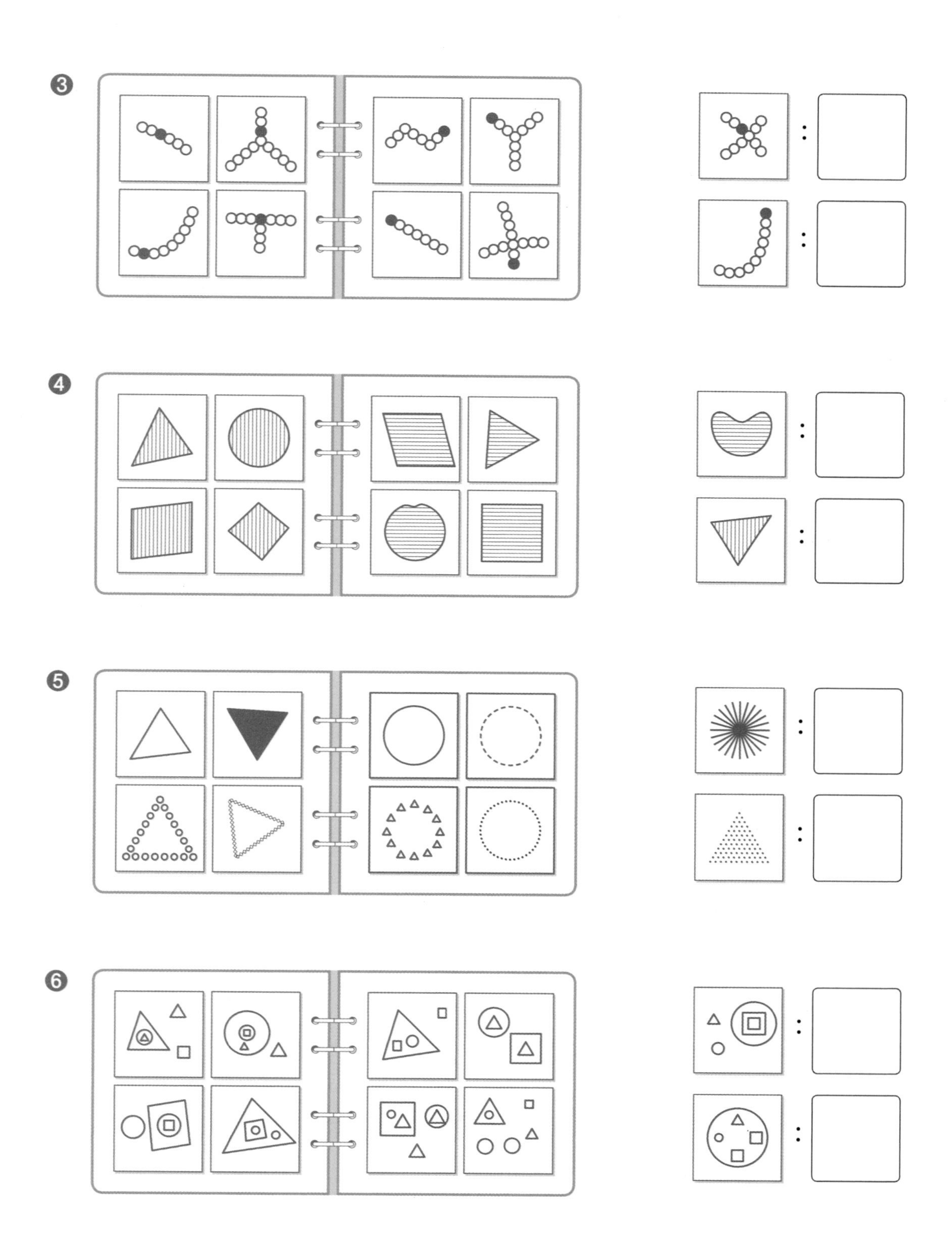

DAY 5

잘못 들어간 그림

✎ 기준에 따라 나누었습니다. 잘못 들어간 그림을 찾아 ╳표 하세요.

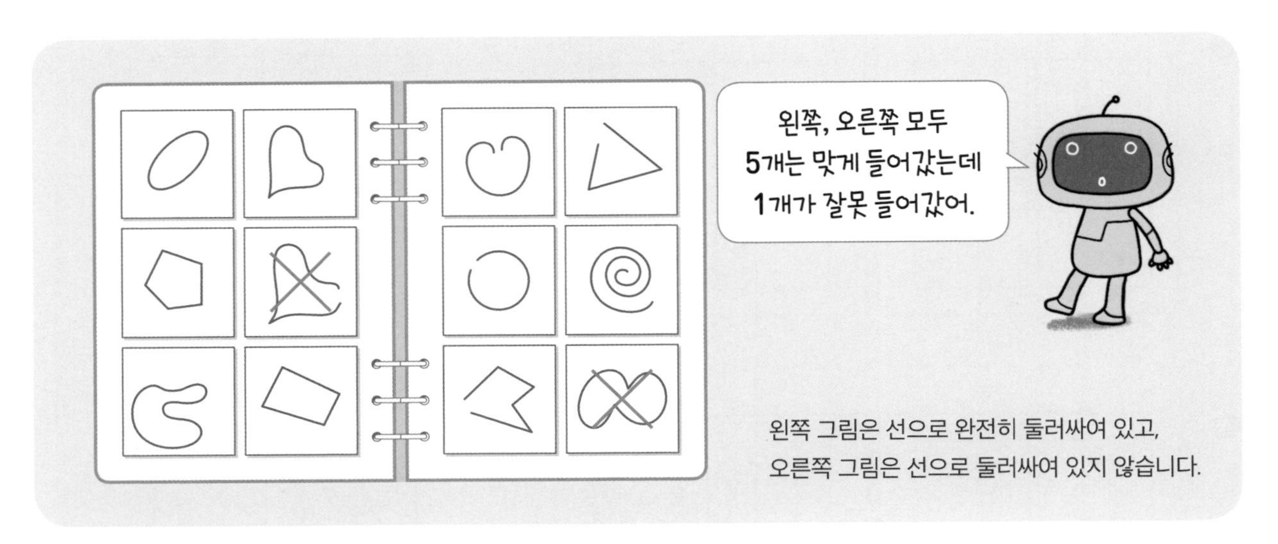

왼쪽, 오른쪽 모두
5개는 맞게 들어갔는데
1개가 잘못 들어갔어.
왼쪽 그림은 선으로 완전히 둘러싸여 있고,
오른쪽 그림은 선으로 둘러싸여 있지 않습니다.

❶

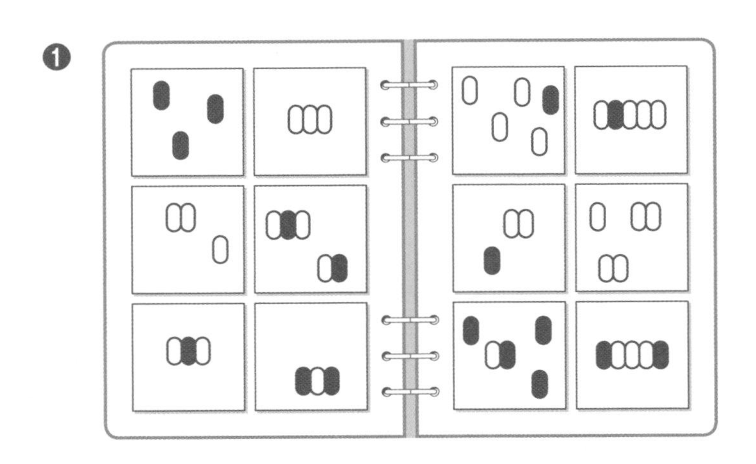

❷

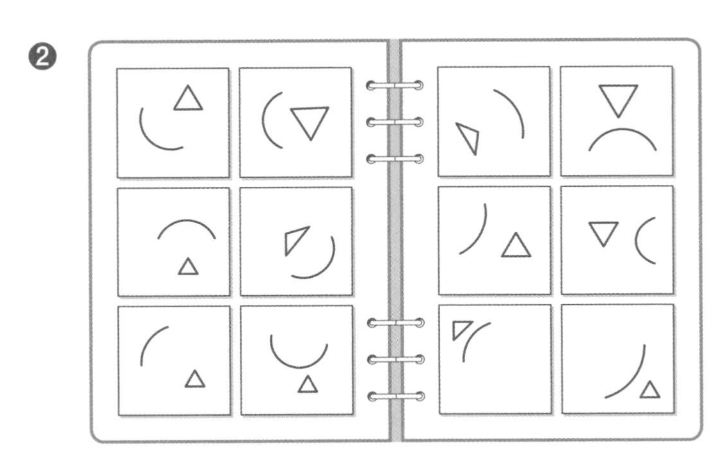

❸

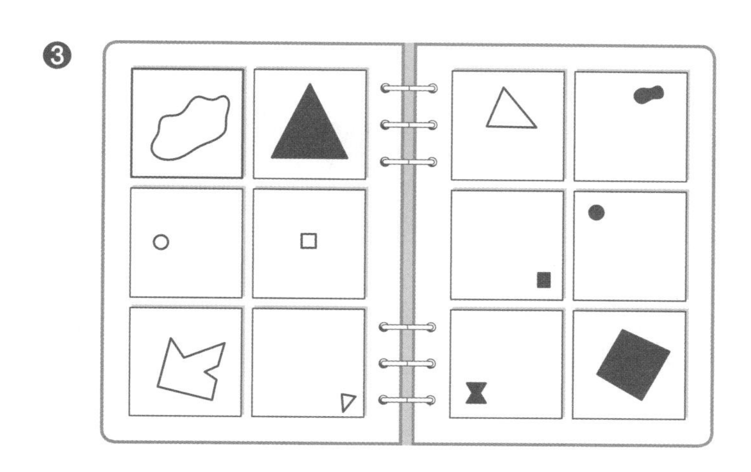

❹

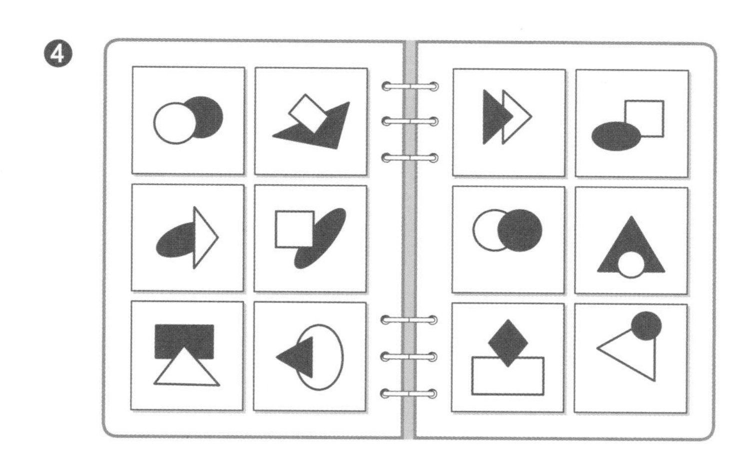

❺

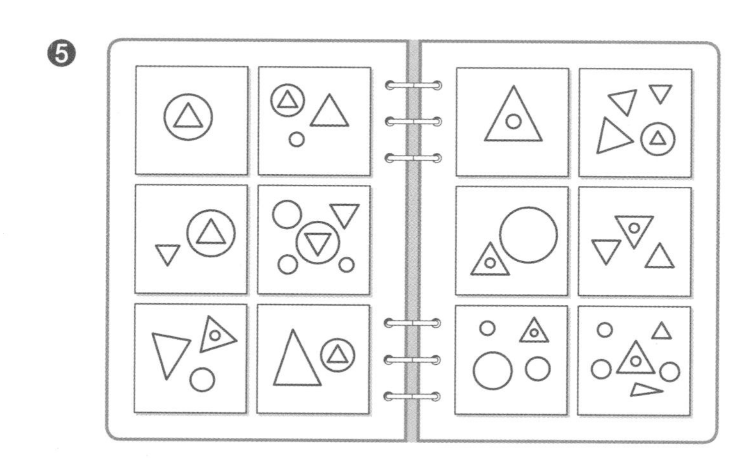

확인학습

기준에 따라 나눈 것을 보고 왼쪽에 들어가야 하는 그림에는 '왼', 오른쪽에 들어가야 하는 그림에는 '오'를 써넣으세요.

❶

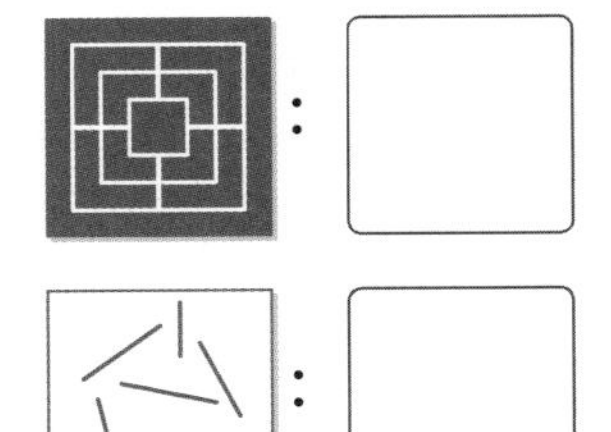

❷

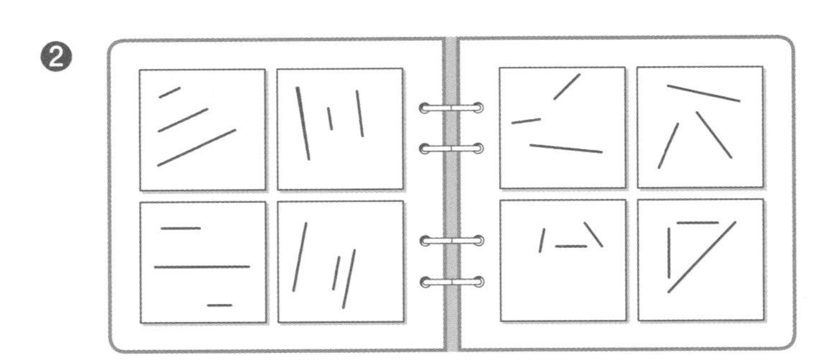

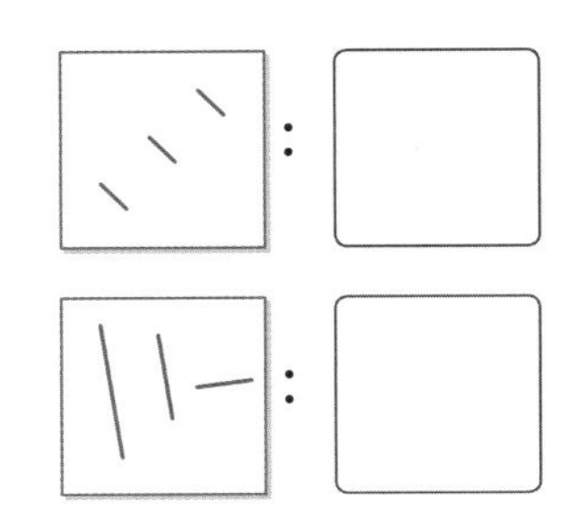

기준에 따라 나누었습니다. 잘못 들어간 그림을 찾아 ×표 하세요.

❸

2
주차

속성에 따른 분류

모양 분류

여러 기준에 따라 분류해 보세요.

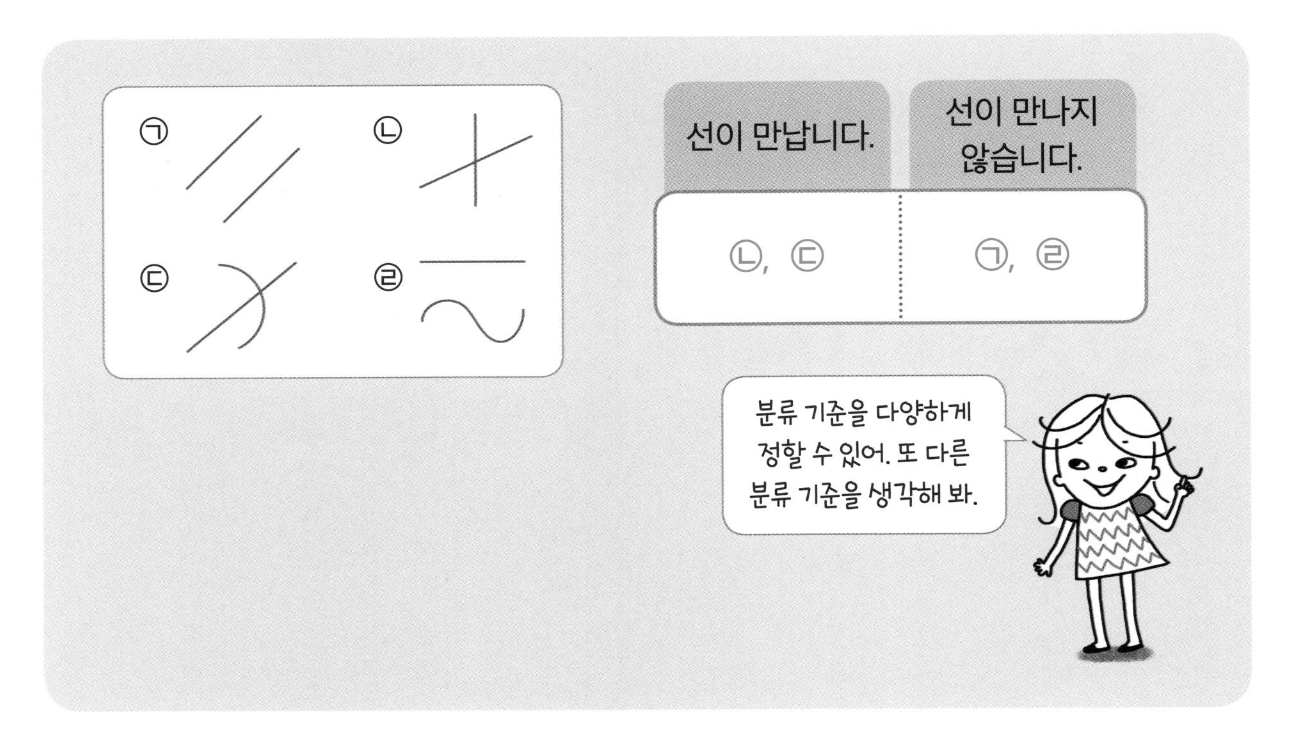

❶

땅 위에 있습니다.	물속에 있습니다.

❷

동물입니다.	동물이 아닙니다.

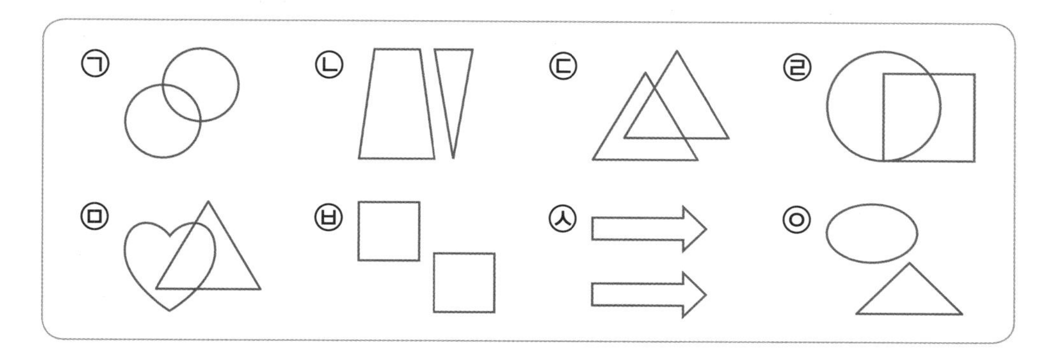

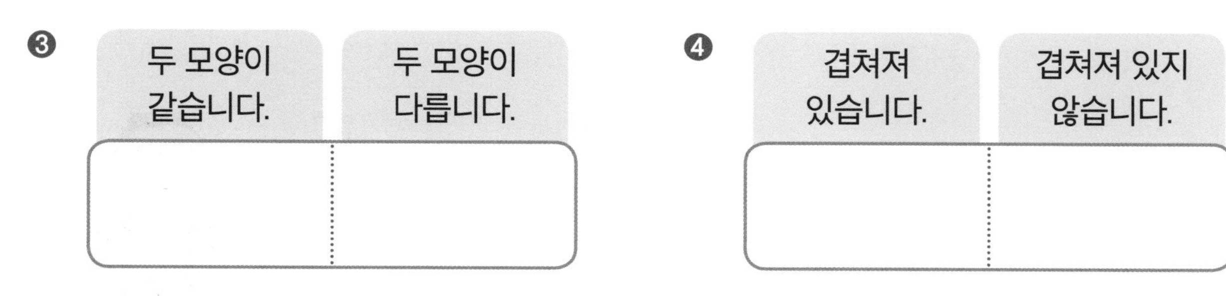

❸
두 모양이 같습니다.
두 모양이 다릅니다.
❹
겹쳐져 있습니다.
겹쳐져 있지 않습니다.

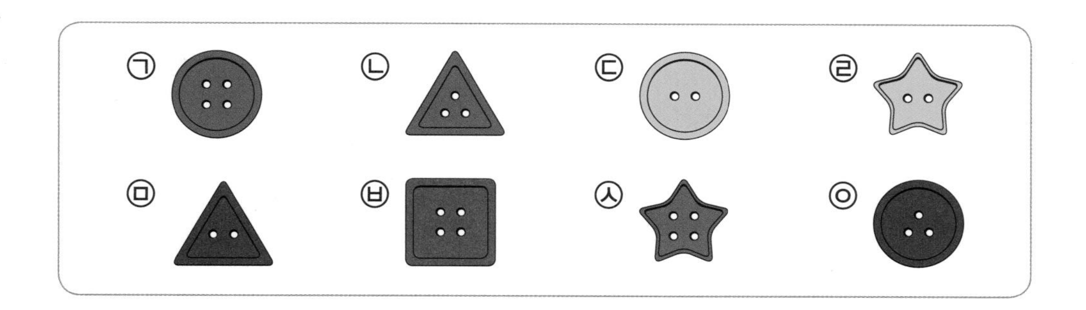

❺

구멍이 4개인 단추	구멍이 4개가 아닌 단추

❻

◯ 모양 단추	◯ 모양이 아닌 단추

수와 문자 분류

1부터 9까지의 디지털 숫자 중에서 다음 조건을 모두 만족하는 숫자를 쓰세요.

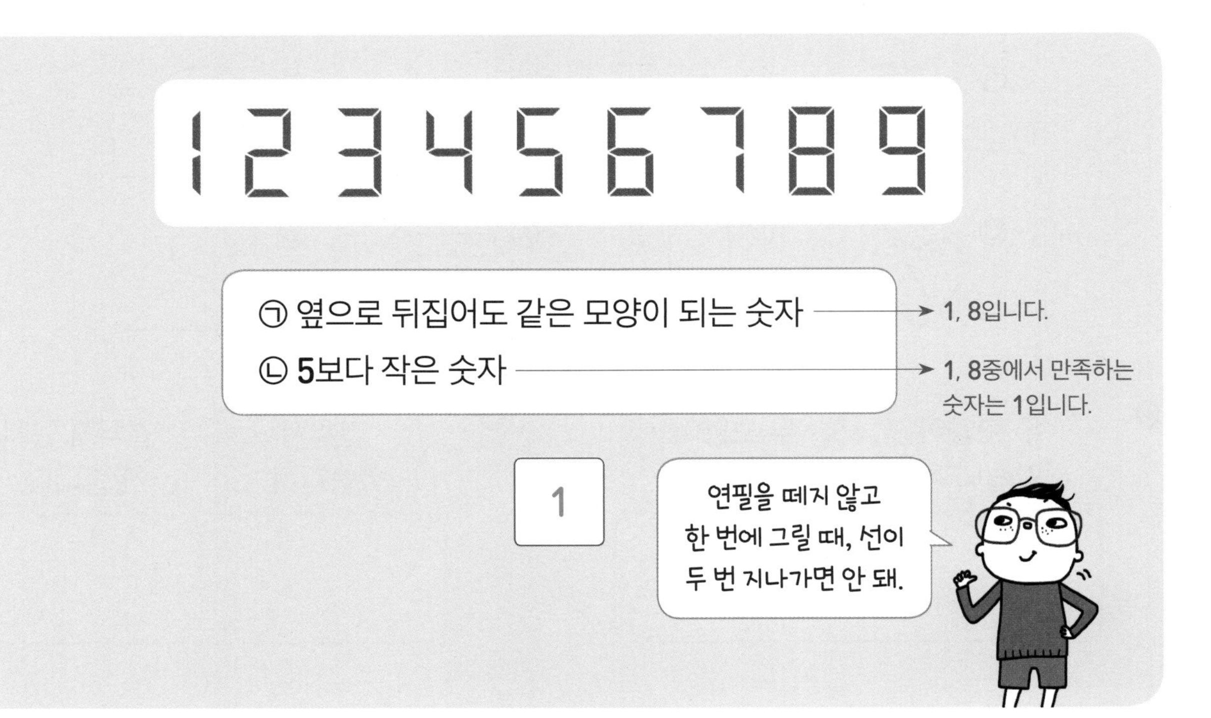
1 2 3 4 5 6 7 8 9
㉠ 옆으로 뒤집어도 같은 모양이 되는 숫자
㉡ 5보다 작은 숫자
1, 8입니다.
1, 8중에서 만족하는 숫자는 1입니다.
1
연필을 떼지 않고 한 번에 그릴 때, 선이 두 번 지나가면 안 돼.

❶

㉠ 위로 뒤집었을 때 다른 숫자가 되는 숫자
㉡ 4보다 큰 숫자

❷

㉠ 둘러싸인 곳이 있는 숫자
㉡ 3의 단 곱셈구구의 곱인 숫자
㉢ 7보다 큰 숫자

주어진 자음 중에서 다음 조건을 모두 만족하는 자음을 쓰세요.

ㄱ	ㄴ	ㄷ	ㄹ	ㅁ	ㅂ	ㅅ
ㅇ	ㅈ	ㅊ	ㅋ	ㅌ	ㅍ	ㅎ

❸

㉠ 옆으로 반을 접을 때 완전히 겹쳐지는 자음
㉡ 굽은 선이 없는 자음
㉢ 연필을 떼지 않고 한 번에 그릴 수 있는 자음

❹

㉠ 위로 반을 접을 때 완전히 겹쳐지는 자음
㉡ 연필을 떼지 않고 한 번에 그릴 수 있는 자음
㉢ 곧은 선 **3**개로 만들어진 자음

❺

㉠ 둘러싸인 곳이 있는 자음
㉡ 굽은 선이 있는 자음
㉢ 연필을 떼지 않고 한 번에 그릴 수 있는 자음

DAY 3 나뭇가지 그림

주어진 단어들 사이의 관계를 생각하여 나뭇가지 그림으로 분류하려고 합니다. □ 안에 알맞은 기호를 써넣으세요.

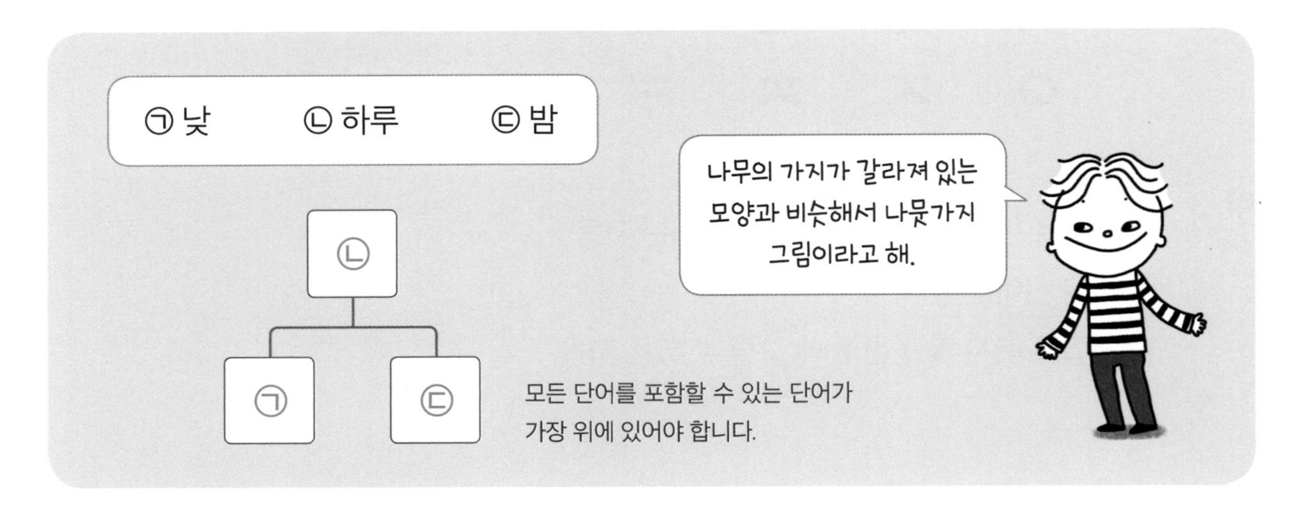

㉠ 낮 ㉡ 하루 ㉢ 밤
㉡
㉠ ㉢
나무의 가지가 갈라져 있는 모양과 비슷해서 나뭇가지 그림이라고 해.
모든 단어를 포함할 수 있는 단어가 가장 위에 있어야 합니다.

❶

㉠ 부엌 ㉡ 숟가락
㉢ 비누 ㉣ 집
㉤ 치약 ㉥ 냄비
㉦ 화장실

❷

㉠ 나비 ㉡ 새
㉢ 동물 ㉣ 비둘기
㉤ 곤충 ㉥ 개미
㉦ 제비

❸

㉠ 학용품　㉡ 가위
㉢ 자르는 것　㉣ 볼펜
㉤ 쓰는 것　㉥ 연필
㉦ 칼

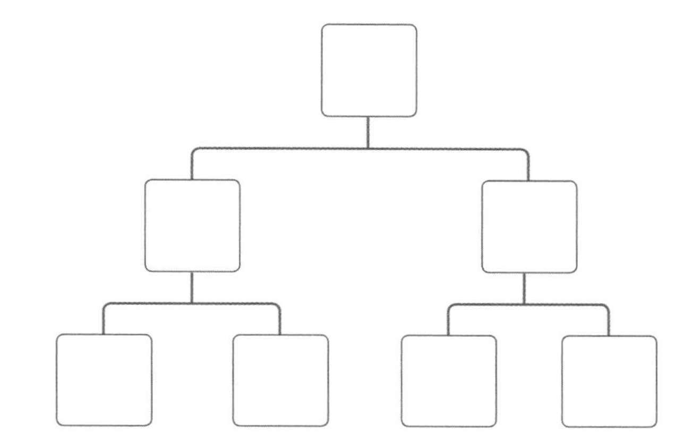

❹

㉠ 세종대왕　㉡ 이순신
㉢ 피노키오　㉣ 동화
㉤ 위인전　㉥ 신데렐라
㉦ 책

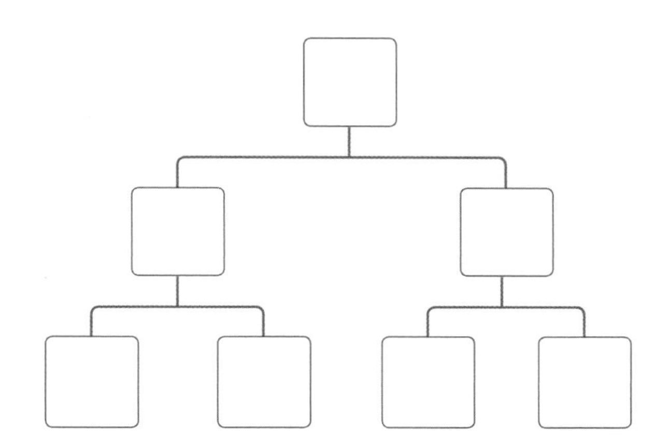

❺

㉠ 사과　㉡ 채소
㉢ 오이　㉣ 과일
㉤ 먹는 것　㉥ 딸기
㉦ 배추

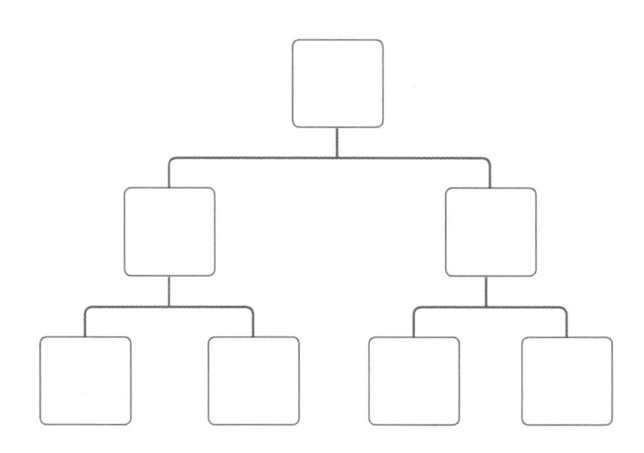

매트릭스

기준에 따라 매트릭스로 분류한 것입니다. 잘못 분류된 것을 모두 찾아 ╳표 하세요.

색깔 \ 모양	삼각형	사각형
파란색		
초록색		

두 가지 분류 기준을 모두 만족하도록 알맞게 매트릭스를 완성합니다.

파란색과 사각형이 만나
는 칸에는 파란색 사각형
만 들어갈 수 있어.

❶

길이 \ 옷	바지	티셔츠
긴 옷		
짧은 옷		

❷

	땅 위에 사는 동물입니다.		물속에 사는 동물입니다.	
집에서 키우기 좋습니다.	개	고양이	금붕어	거북이
	소	사자	돼지	고래
집에서 키우기 힘듭니다.	늑대	호랑이	박쥐	돌고래
	오징어	기린	상어	치타

❸

	색깔이 같습니다.	색깔이 다릅니다.
겹칩니다.		
겹치지 않습니다.		

DAY 5 벤다이어그램

다음 벤다이어그램의 색칠한 곳에 들어가는 모양에 모두 ○표 하세요.

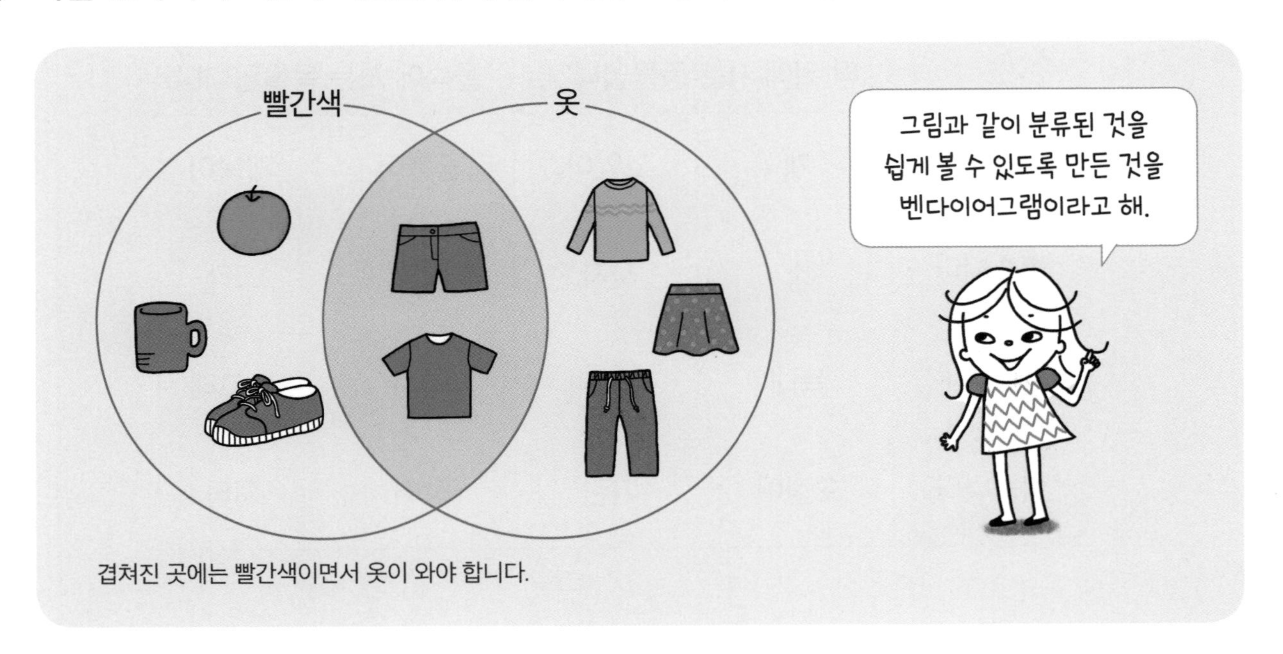

빨간색
옷
그림과 같이 분류된 것을
쉽게 볼 수 있도록 만든 것을
벤다이어그램이라고 해.

겹쳐진 곳에는 빨간색이면서 옷이 와야 합니다.

❶

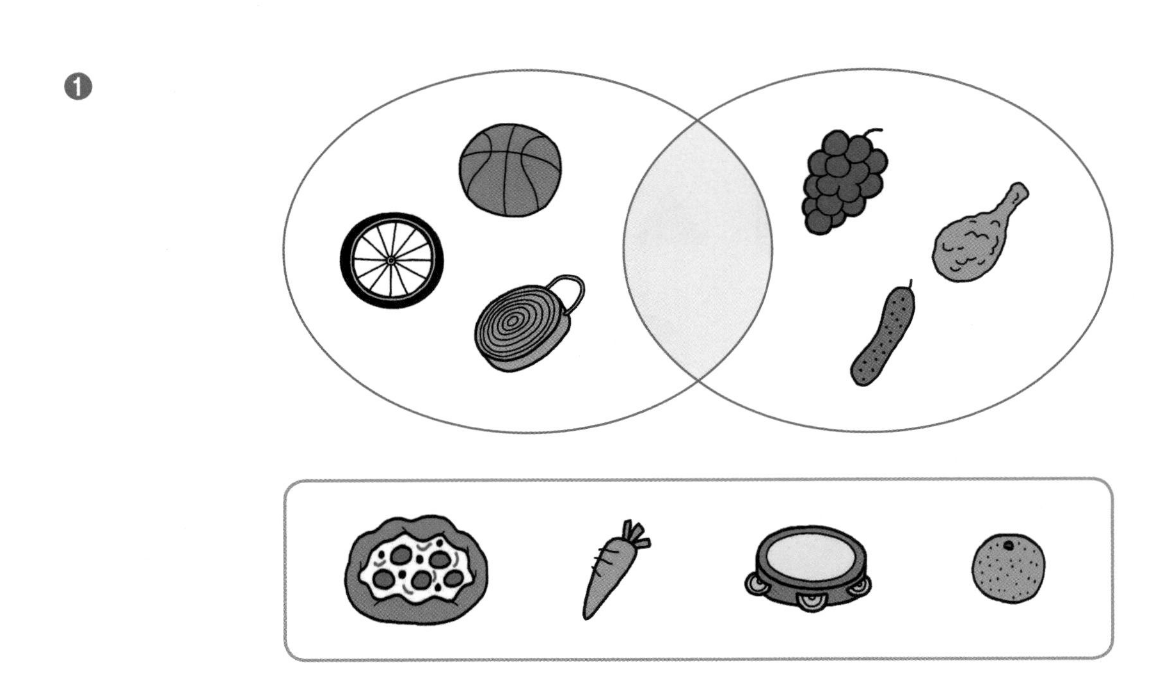

❷

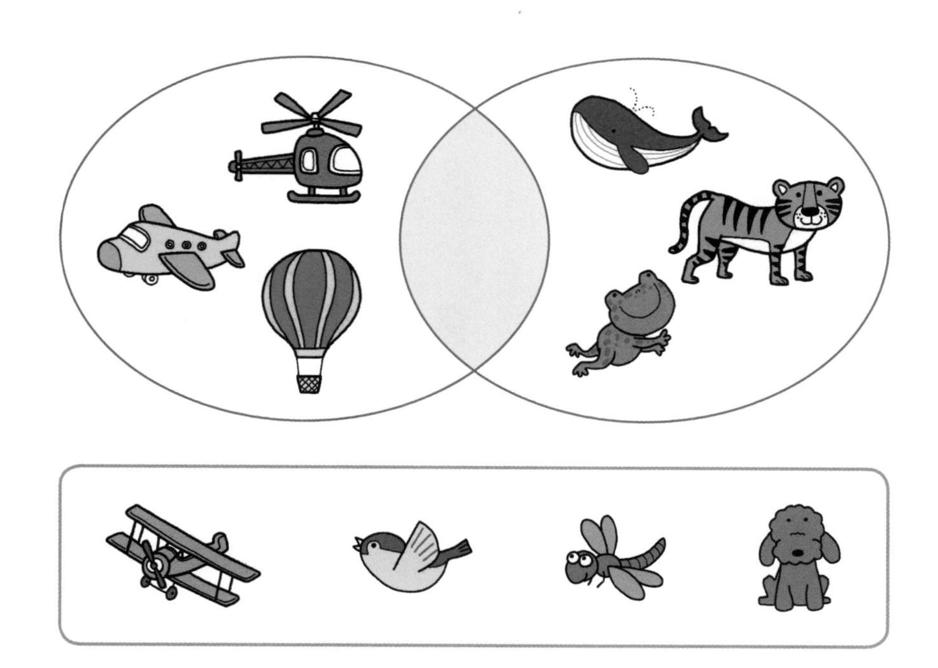

❸

확인학습

기준에 따라 매트릭스로 분류한 것입니다. 잘못 분류된 것을 모두 찾아 ╳표 하세요.

❶

	모양이 같습니다.	모양이 다릅니다.
겹칩니다.		
겹치지 않습니다.		

다음 벤다이어그램의 색칠한 곳에 들어가는 모양에 모두 ○표 하세요.

❷

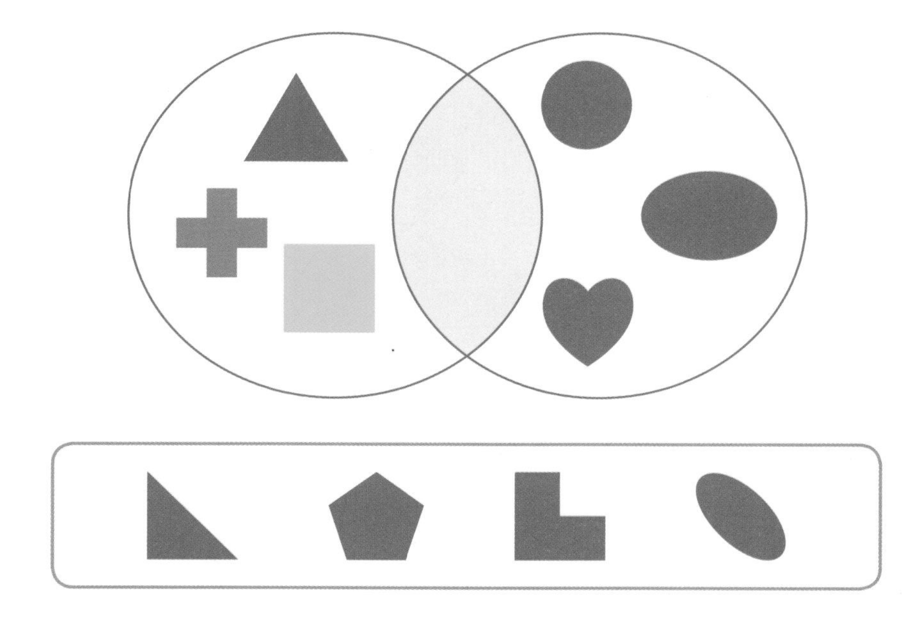

3
주차

유비추론

DAY 1

도형 유추

관계를 보고 빈 곳에 알맞은 도형을 그려 보세요.

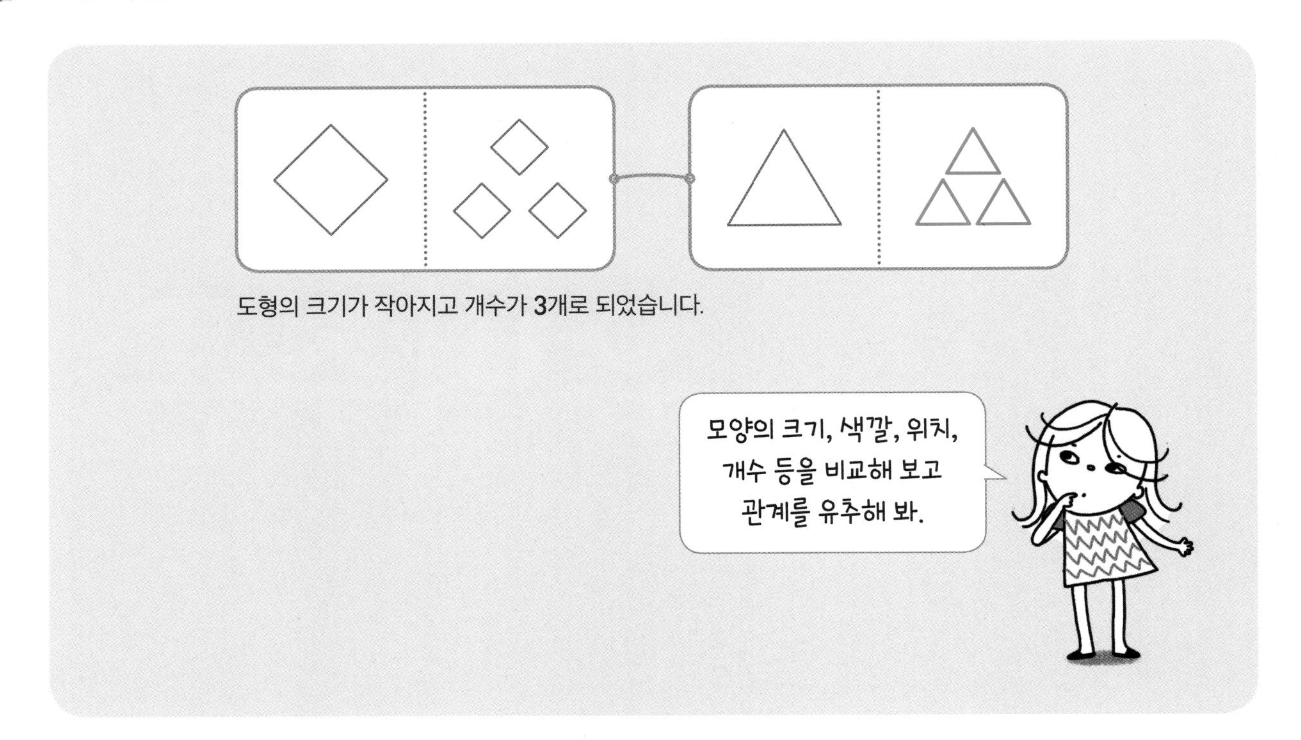

도형의 크기가 작아지고 개수가 3개로 되었습니다.
모양의 크기, 색깔, 위치, 개수 등을 비교해 보고 관계를 유추해 봐.

❶ ❷ ❸

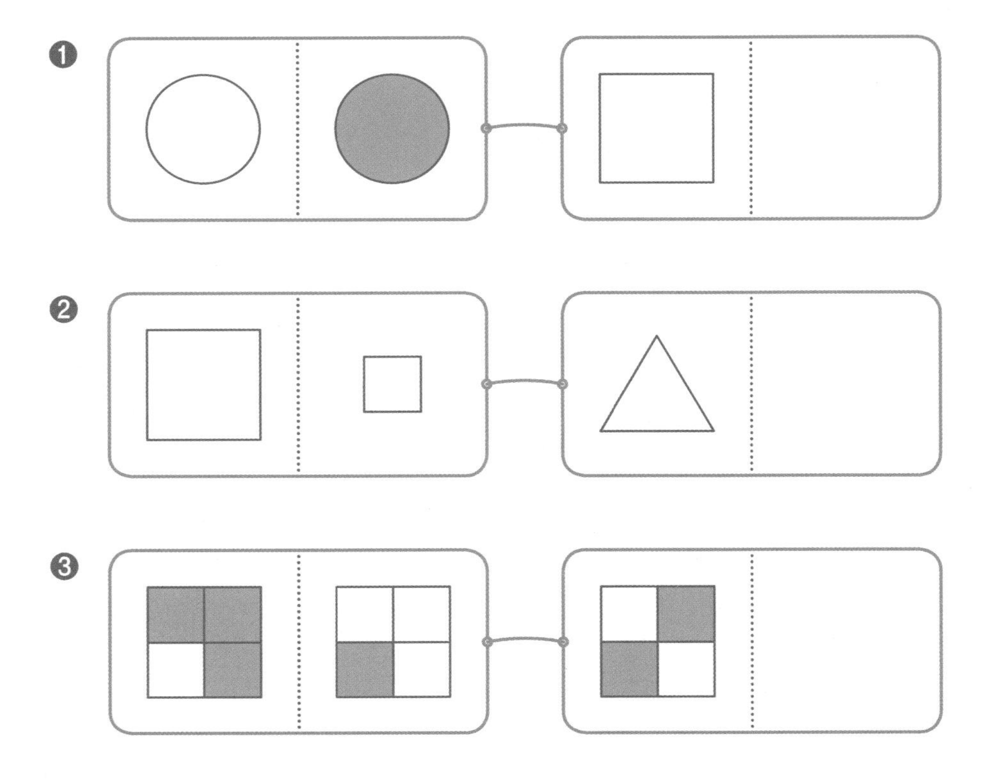

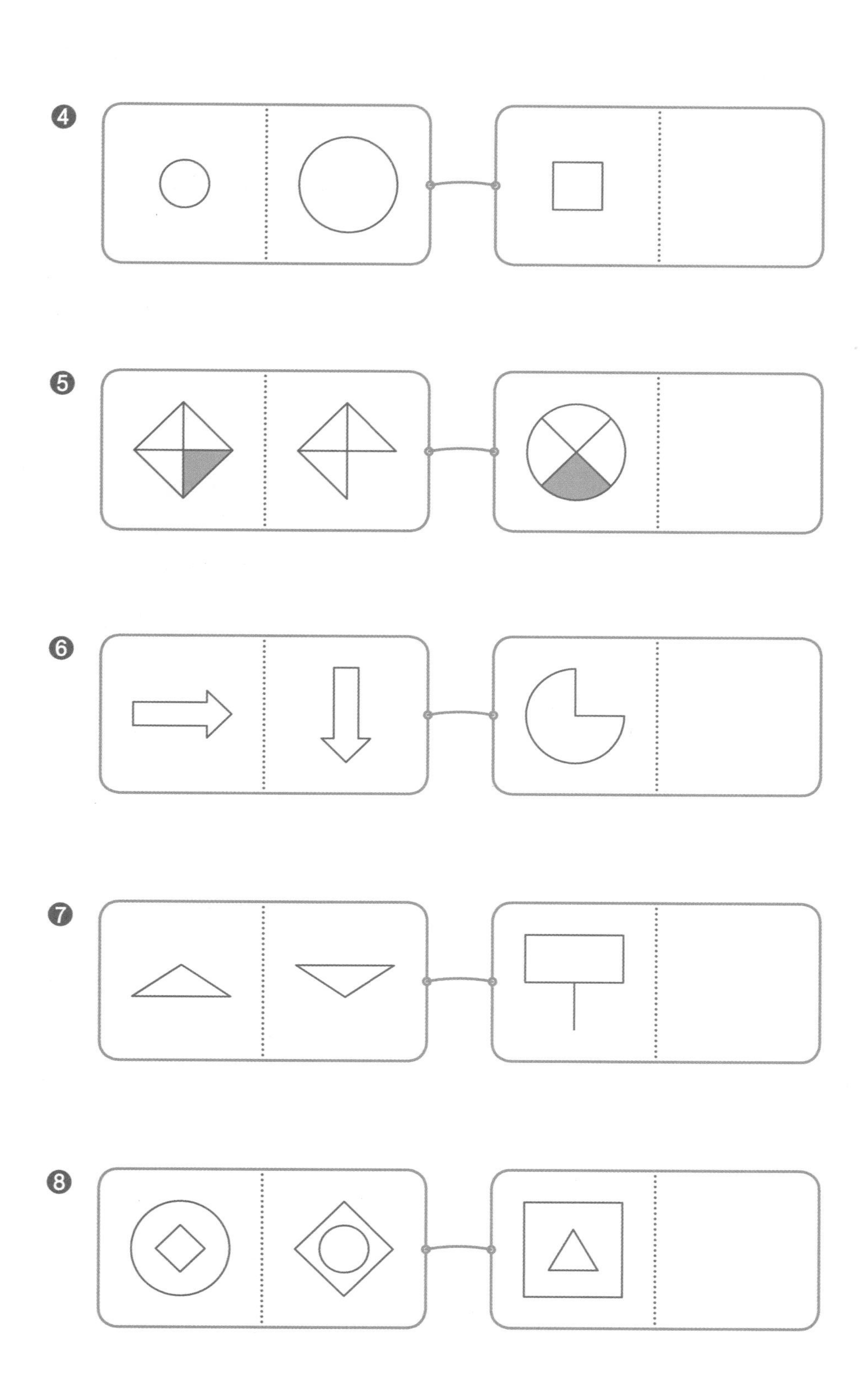
❹
❺
❻
❼
❽

도형 관계 추론

관계를 보고 빈 곳에 알맞은 그림을 그려 보세요.

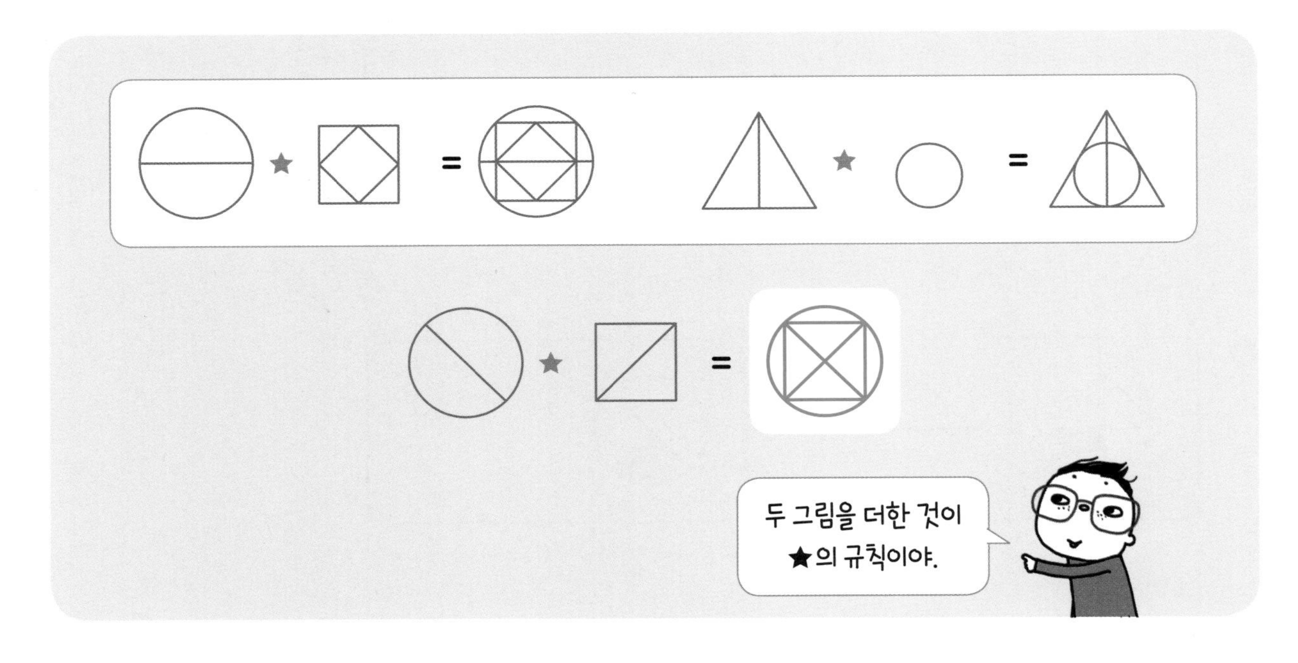

❶

❷

❸

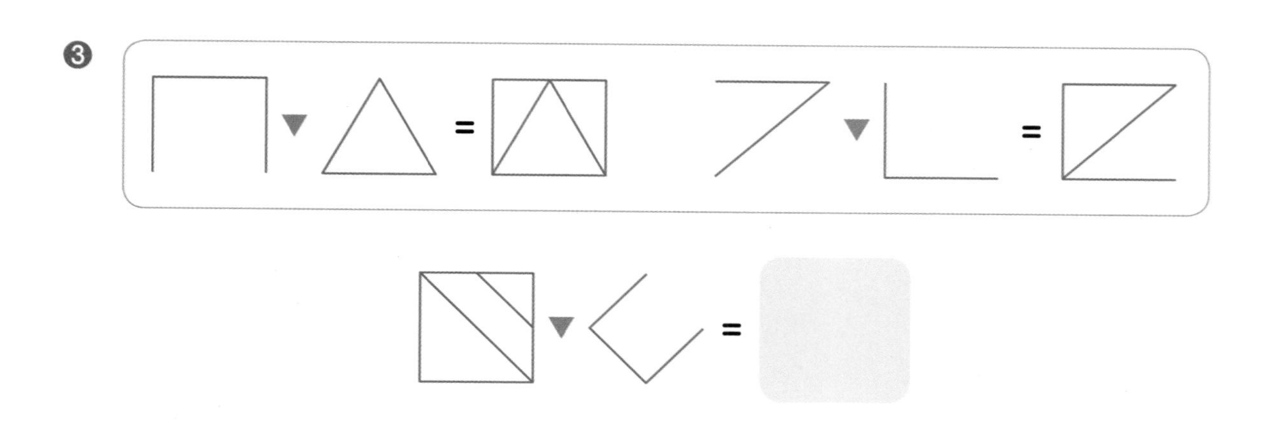

❹

❺

수 관계 추론

✎ 관계를 보고 빈 곳에 알맞은 수를 써넣으세요.

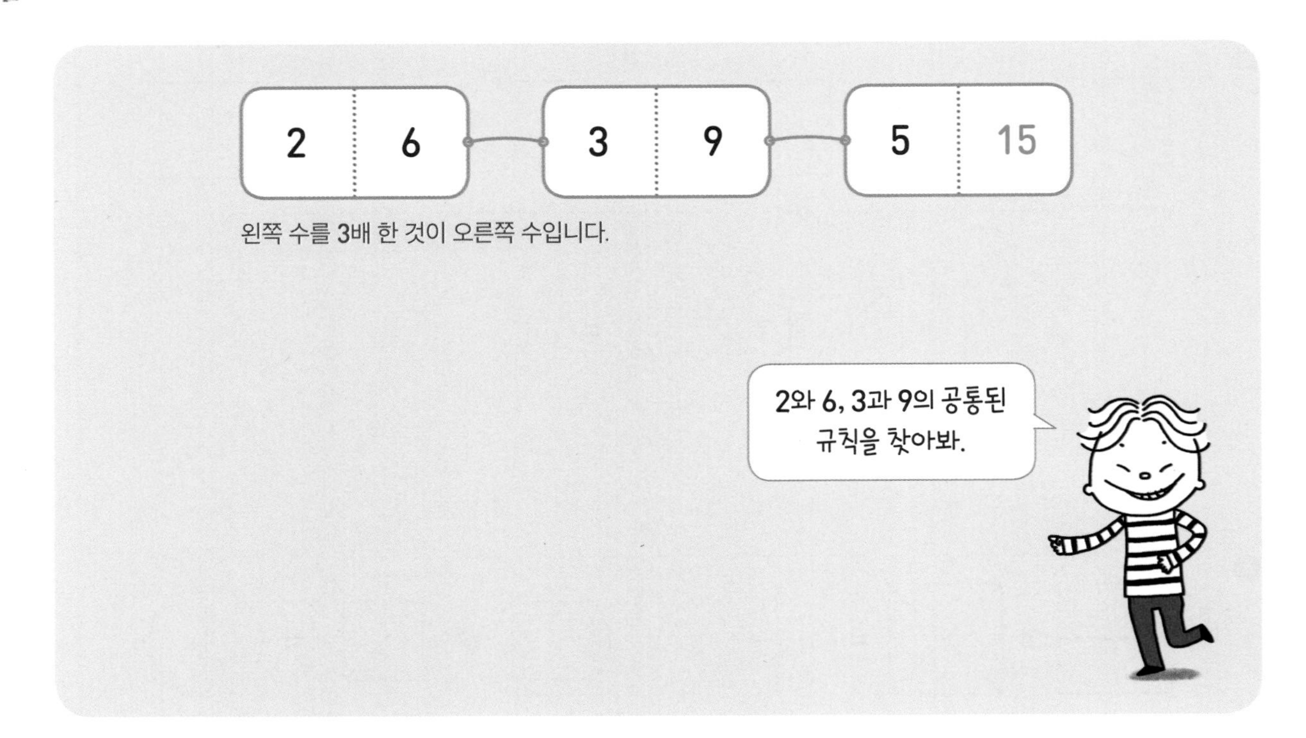

❶

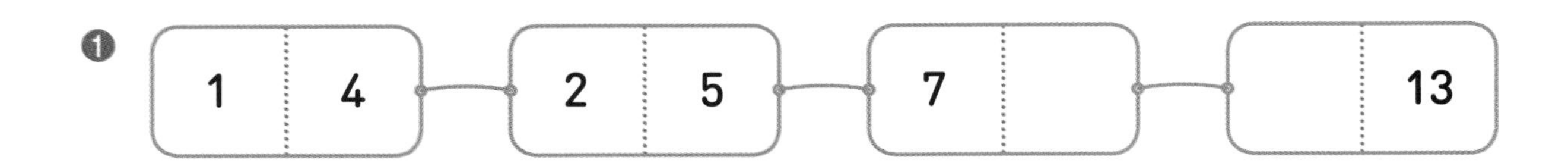

❷

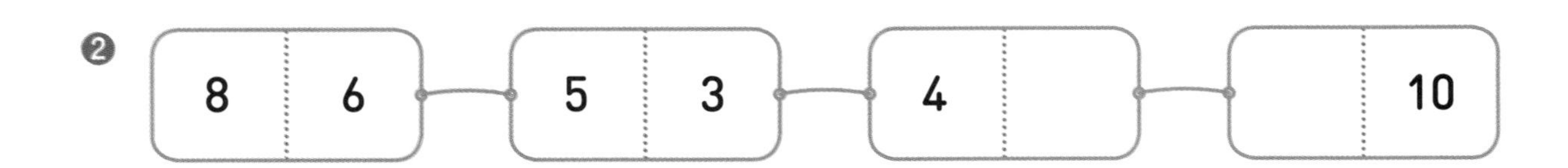

❸

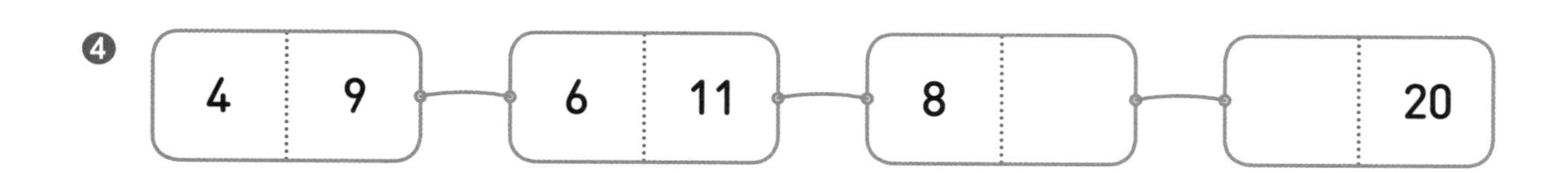
❹
4
9
6
11
8
20

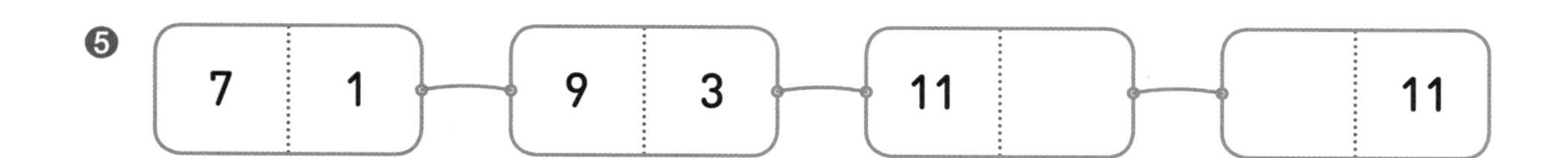
❺
7
1
9
3
11
11

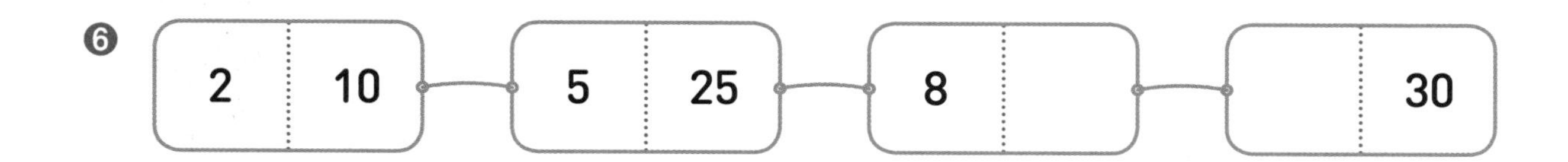
❻
2
10
5
25
8
30

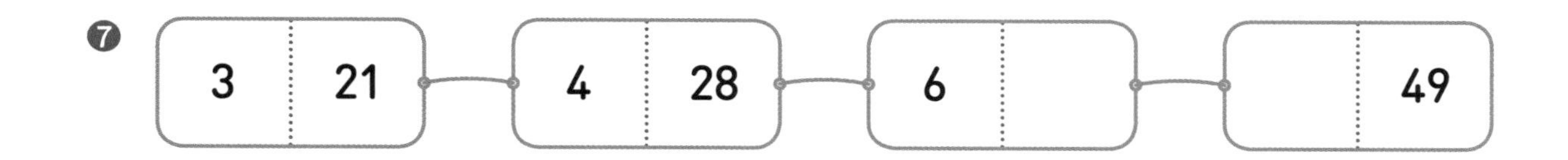
❼
3
21
4
28
6
49

❽
6
24
3
12
8
20

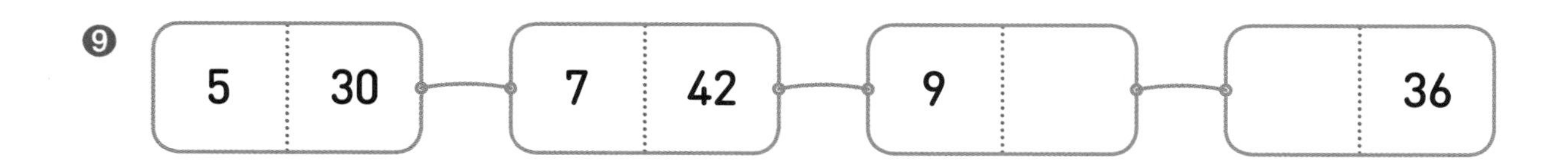
❾
5
30
7
42
9
36

매트릭스 유추 (1)

규칙에 맞게 빈 곳에 알맞은 그림을 그리거나 색칠해 보세요.

• **가로**: 오른쪽으로 갈수록 한 개씩 늘어납니다.

• **세로**: 아래로 갈수록 커집니다.

❶

• **가로**: 오른쪽으로 갈수록 세로로 한 줄씩 늘어납니다.

• **세로**: 아래쪽으로 갈수록 가로로 한 줄씩 늘어납니다.

❷

- **가로**: 오른쪽으로 갈수록 색칠된 칸이 시계 방향으로 한 칸씩 이동합니다.
- **세로**: 아래쪽으로 갈수록 색칠된 칸이 시계 방향으로 한 칸씩 늘어납니다.

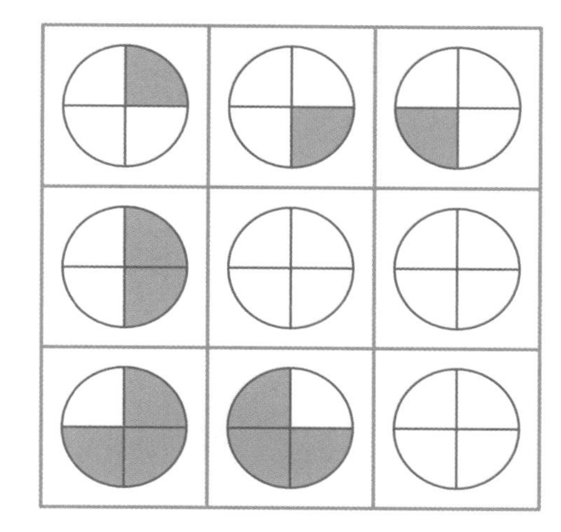

❸

- **가로**: 오른쪽으로 갈수록 도형의 변의 개수가 한 개씩 늘어납니다.
- **세로**: 아래쪽으로 갈수록 도형이 한 개씩 늘어납니다.

△	□	
		⬠⬠
△△△		

DAY 5

매트릭스 유추 (2)

규칙을 찾아 빈 곳에 알맞은 그림을 그리거나 색칠해 보세요.

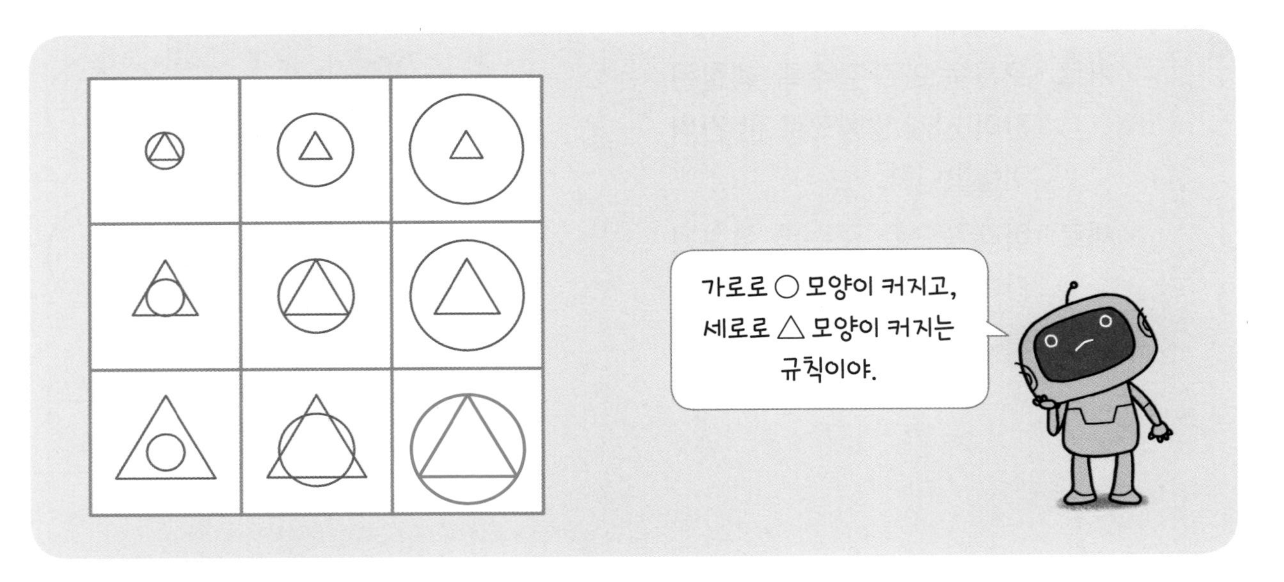

가로로 ○ 모양이 커지고,
세로로 △ 모양이 커지는
규칙이야.

❶

❷

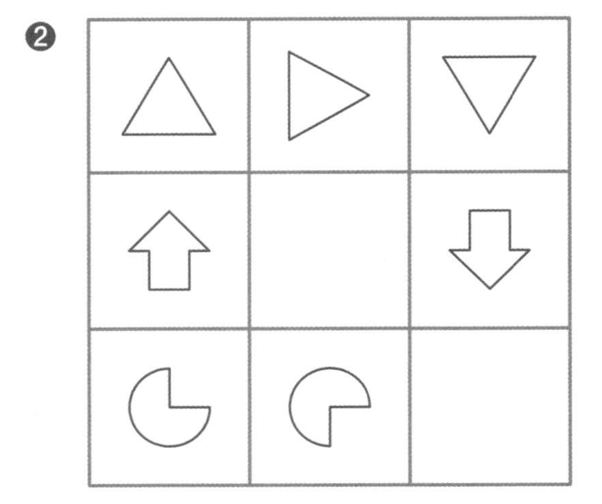

❸

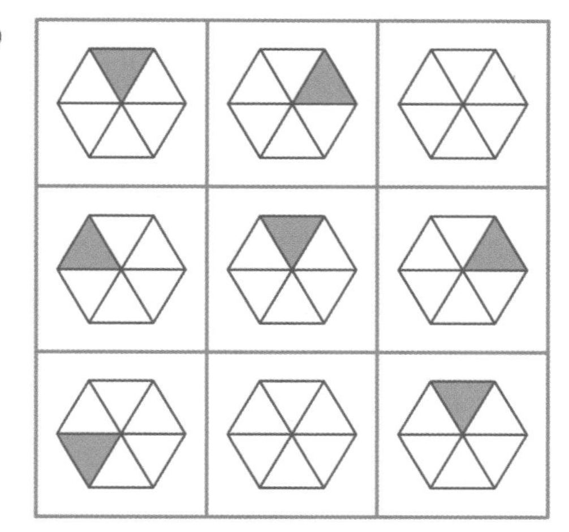

❹

❺

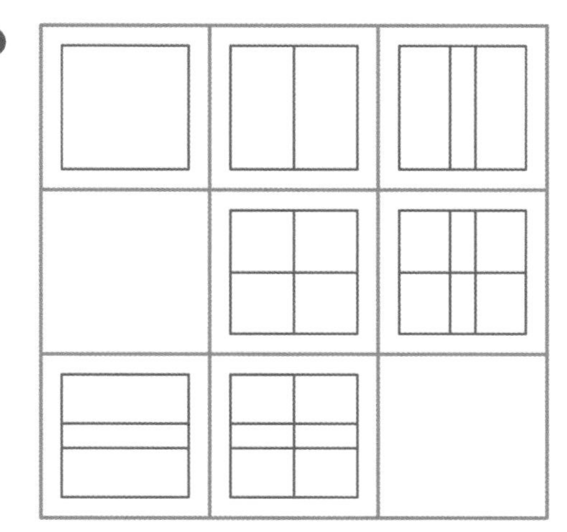

❻

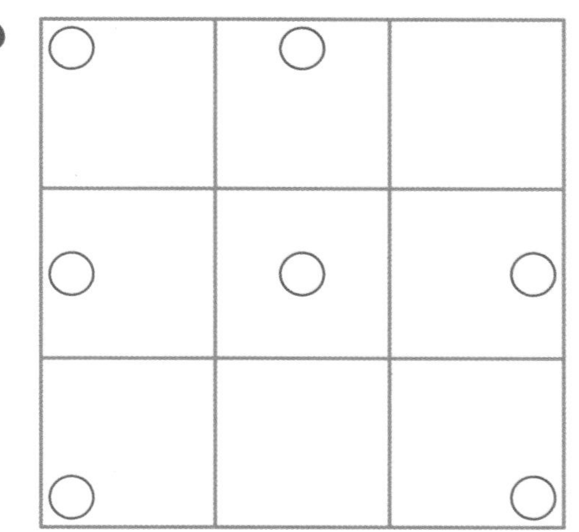

확인학습

관계를 보고 빈 곳에 알맞은 수를 써넣으세요.

❶

2	9	6	13	9			20

❷

4	12	6	18	8			27

❸

3	24	5	40	7			64

규칙을 찾아 빈 곳에 알맞은 그림을 그리거나 색칠해 보세요.

❹

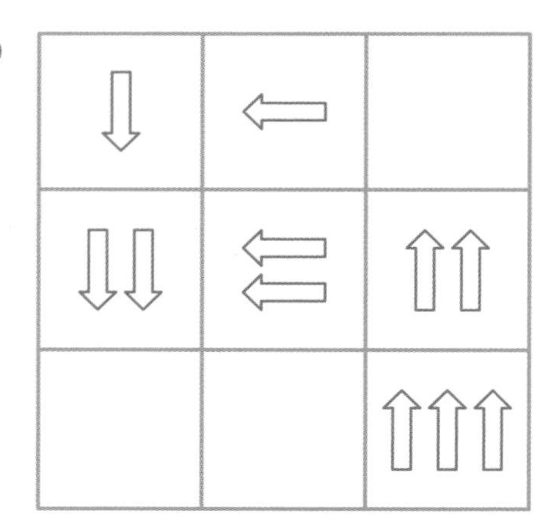

❺

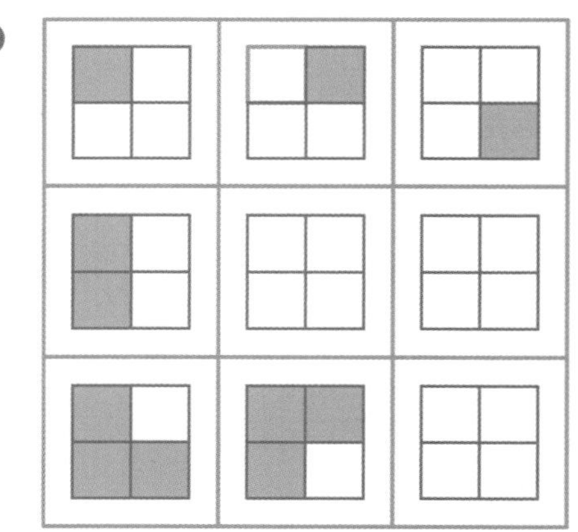

4
주차

연산 약속

DAY 1

한 수 연산 약속

연산 기호의 규칙을 찾아 □ 안에 알맞은 수를 구해 보세요.

1 —★→ 2

2 —★→ 4

3 —★→ 6

5 —★→ [10]

❶

2 —●→ 5

4 —●→ 7

5 —●→ 8

8 —●→ □

❷

6 —◆→ 2

7 —◆→ 3

10 —◆→ 6

13 —◆→ □

❸

2 —■→ 6

3 —■→ 9

5 —■→ 15

6 —■→ □

❹

1 —▲→ 6

2 —▲→ 12

4 —▲→ 24

6 —▲→ □

❺

13	☆ →	21
20	☆ →	28
37	☆ →	45
49	☆ →	☐

❻

4	♡ →	17
10	♡ →	23
48	♡ →	61
79	♡ →	☐

❼

19	○ →	12
30	○ →	23
43	○ →	36
61	○ →	☐

❽

16	◇ →	2
20	◇ →	6
27	◇ →	13
42	◇ →	☐

❾

4	□ →	16
5	□ →	20
9	□ →	36
8	□ →	☐

❿

2	△ →	14
3	△ →	21
8	△ →	56
7	△ →	☐

DAY 2

두 수 연산 약속

✎ 연산 기호의 규칙을 찾아 선으로 이어 보세요.

❶
1 ★ 4 = 5
2 ★ 5 = 11
3 ★ 7 = 22

❷
3 ● 2 = 23
1 ● 4 = 41
9 ● 1 = 19

❸
2 ◆ 3 = 10
4 ◆ 5 = 18
6 ◆ 1 = 14

❹
3 ■ 7 = 7
4 ■ 9 = 9
6 ■ 2 = 6

❺
9 ▲ 1 = 7
8 ▲ 3 = 2
13 ▲ 4 = 5

- 왼쪽 수는 일의 자리 숫자, 오른쪽 수는 십의 자리 숫자입니다.
- 두 수의 합을 2배 한 수입니다.
- 두 수의 곱에 1을 더한 수입니다.
- 왼쪽 수에서 오른쪽 수를 두 번 뺀 수입니다.
- 두 수 중 더 큰 수입니다.

❻

$2 \bigstar 4 = 3$
$1 \bigstar 7 = 4$
$4 \bigstar 8 = 6$

두 수의 합을 **3**배 한 수입니다.

❼

$2 \bullet 3 = 2$
$3 \bullet 7 = 3$
$4 \bullet 1 = 1$

두 수 중 더 작은 수입니다.

❽

$3 \blacklozenge 2 = 15$
$4 \blacklozenge 5 = 27$
$6 \blacklozenge 1 = 21$

두 수의 곱에서 오른쪽 수를 뺀 수입니다.

❾

$5 \blacksquare 2 = 73$
$7 \blacksquare 1 = 86$
$6 \blacksquare 3 = 93$

두 수의 합의 반입니다.

❿

$4 \blacktriangle 2 = 6$
$7 \blacktriangle 3 = 18$
$5 \blacktriangle 6 = 24$

두 수의 합이 십의 자리 숫자, 차가 일의 자리 숫자입니다.

잘못된 약속

연산 기호의 규칙에 맞게 답을 적었습니다. 답이 잘못된 식 하나를 찾아 ×표 하세요.

5★4=4	1★6=1	5★4=5 ✕
4★2=2	8★7=7	6★3=3

두 수 중 작은 수입니다.

두 수의 크기를 비교해 보면 ★의 규칙을 알 수 있을 거야.

❶

3●1=31	2●5=25	1●4=14
7●7=77	8●2=82	2●3=32

❷

7■2=16	2■5=12	4■3=13
6■1=8	3■7=23	6■3=20

❸

2 ⊙ 4 = 3	5 ⊙ 9 = 7	1 ⊙ 7 = 4
8 ⊙ 2 = 5	7 ⊙ 5 = 6	9 ⊙ 3 = 7

❹

7 ▼ 4 = 10	2 ▼ 5 = 6	6 ▼ 1 = 6
4 ▼ 9 = 13	3 ▼ 5 = 7	8 ▼ 2 = 9

❺

1 ▣ 4 = 3	5 ▣ 2 = 9	7 ▣ 4 = 27
4 ▣ 6 = 23	8 ▣ 5 = 35	9 ▣ 2 = 17

❻

3 ◈ 4 = 14	7 ◈ 2 = 18	5 ◈ 3 = 16
3 ◈ 2 = 10	4 ◈ 5 = 16	2 ◈ 4 = 12

삼각 연산 약속

규칙을 찾아 빈 곳에 알맞은 수를 써넣으세요.

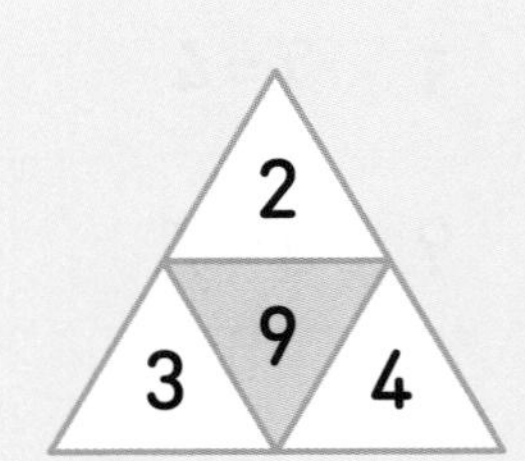

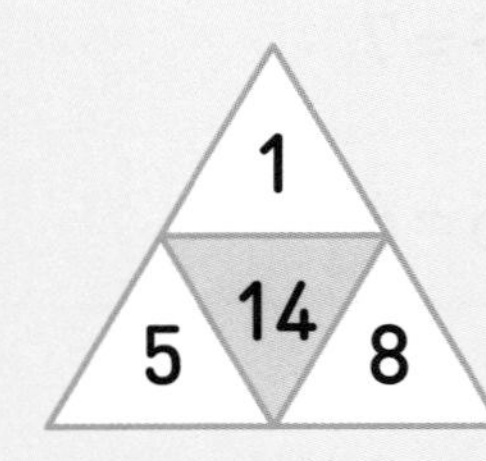

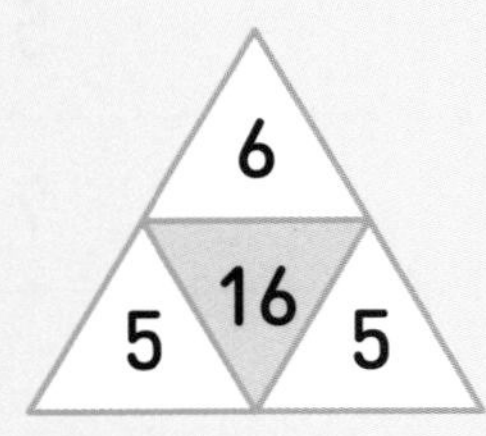

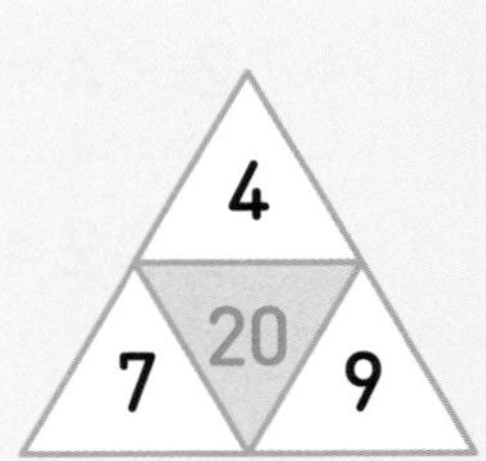

위, 왼쪽, 오른쪽의 세 수를 모두 더하면 가운데 수가 됩니다.

위, 왼쪽, 오른쪽의 세 수를 어떻게 계산하면 가운데 수가 되는지 생각해 봐.

❶

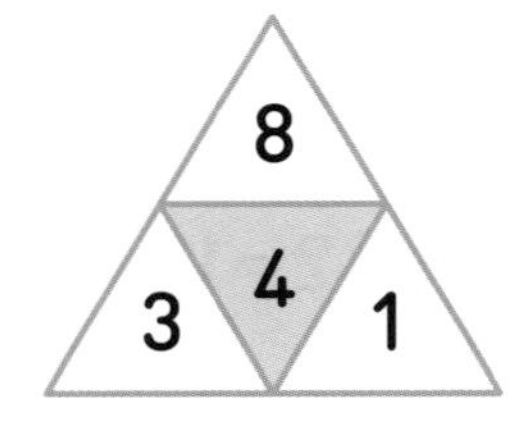

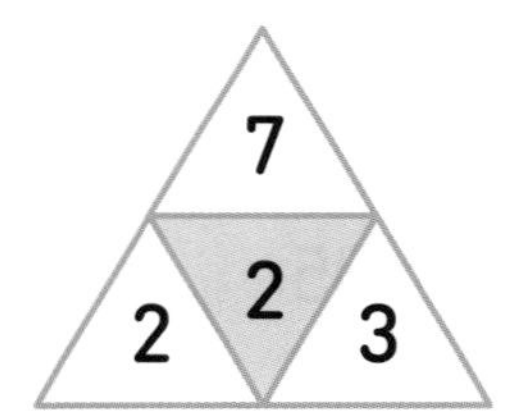

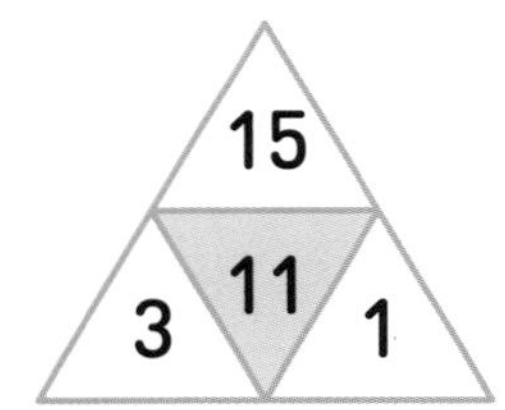

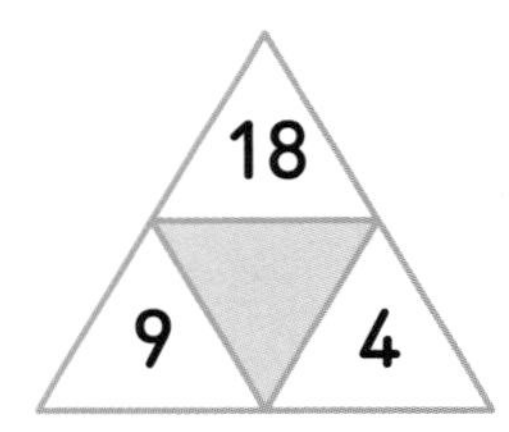

❷

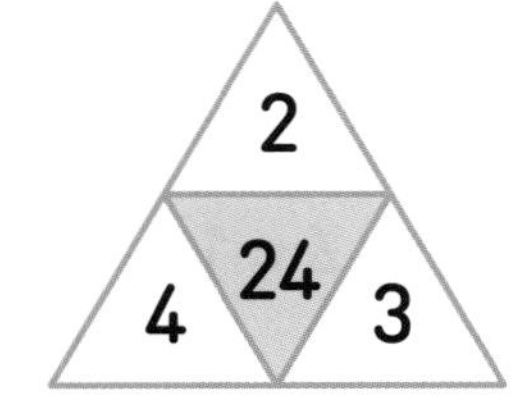

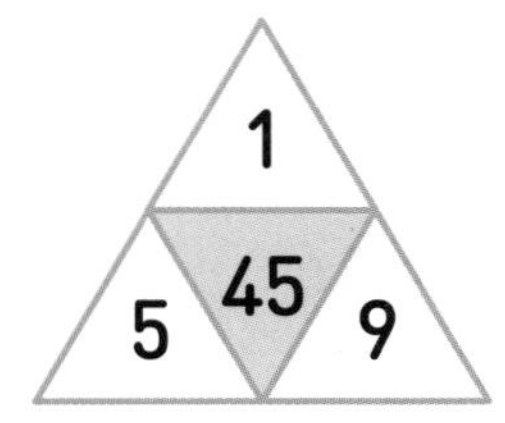

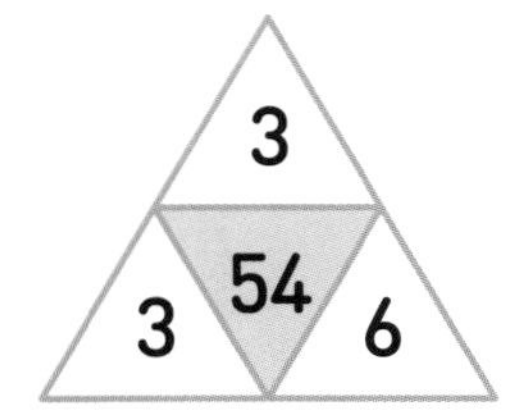

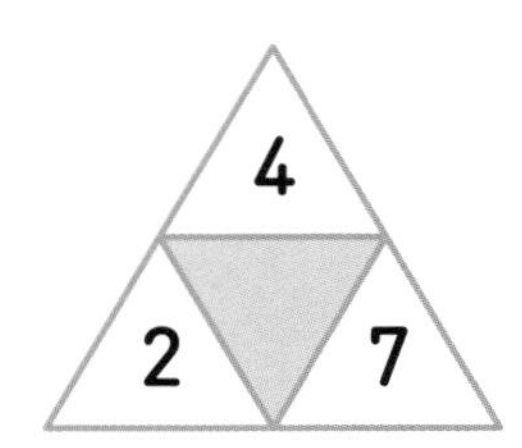

❸

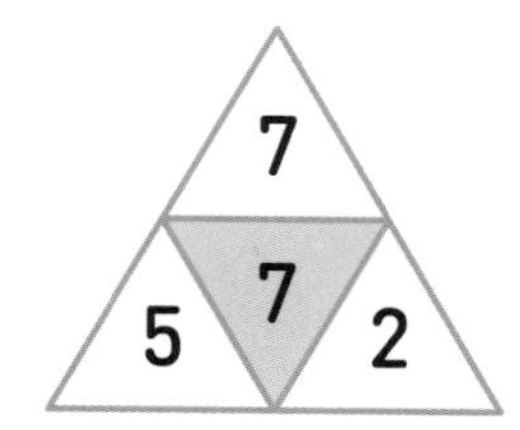
7
5
7
2

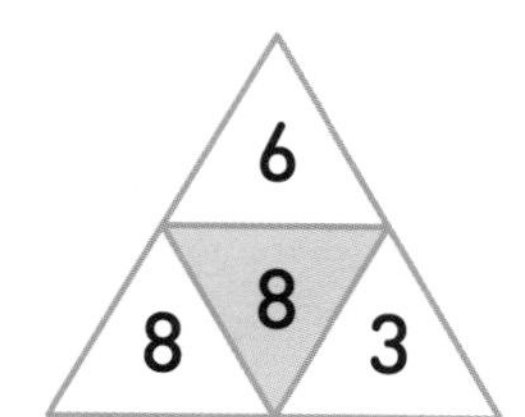
6
8
8
3

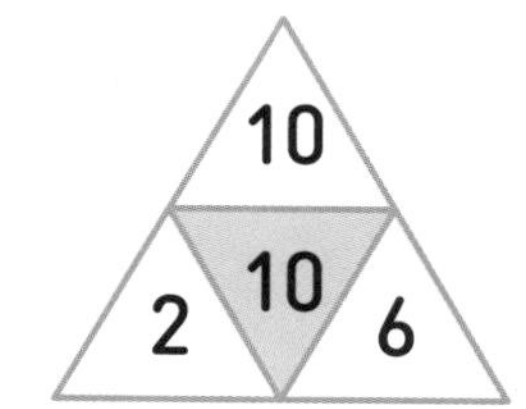
10
2
10
6

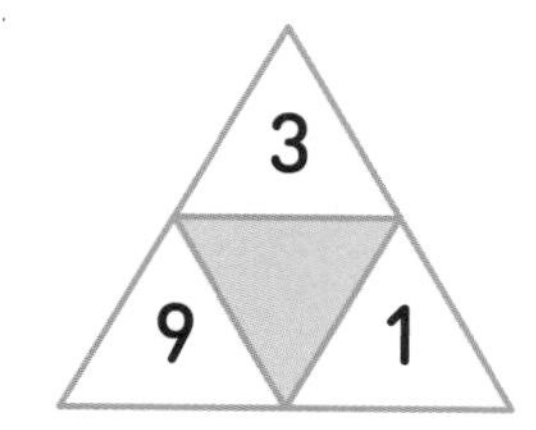
3
9
1

❹

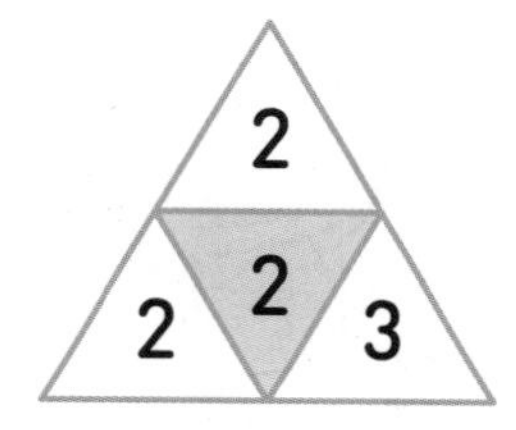
2
2
2
3

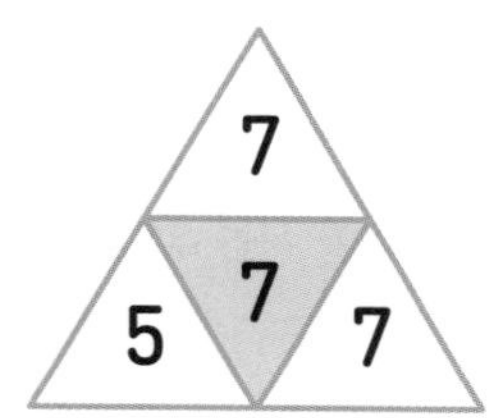
7
5
7
7

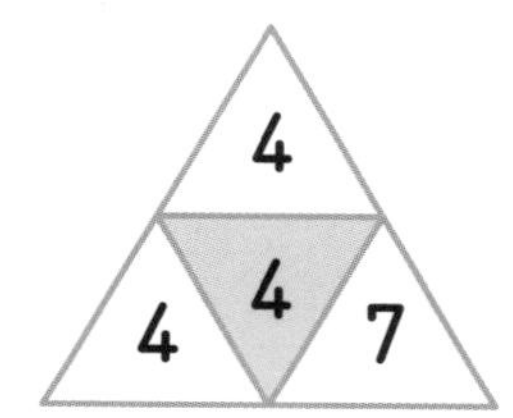
4
4
4
7

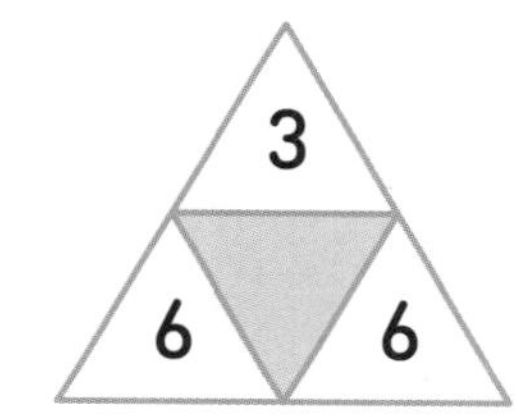
3
6
6

❺

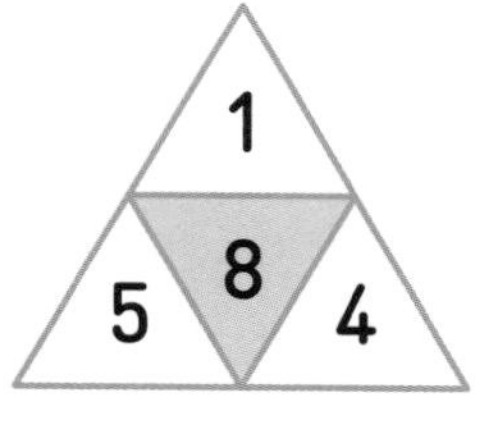
1
5
8
4

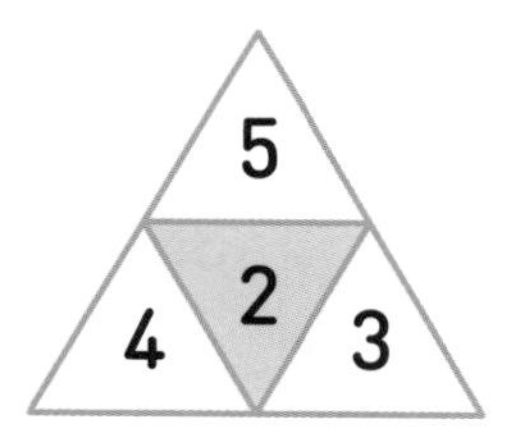
5
4
2
3

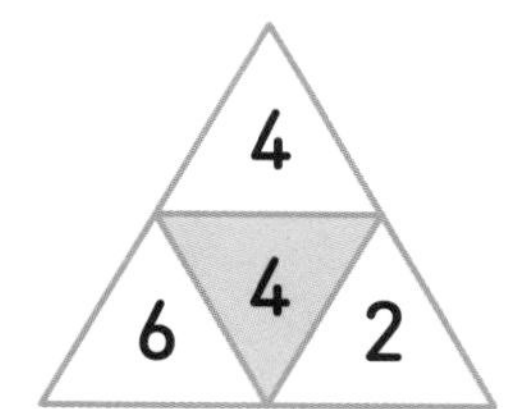
4
6
4
2

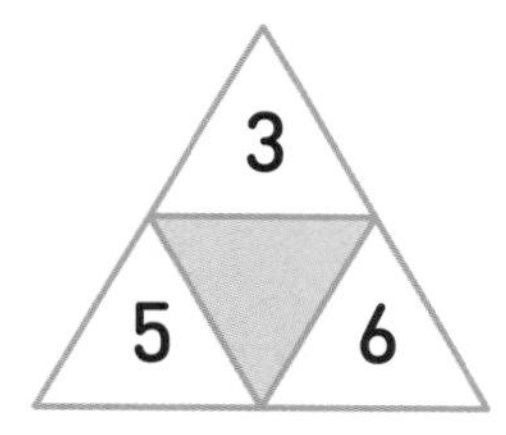
3
5
6

❻

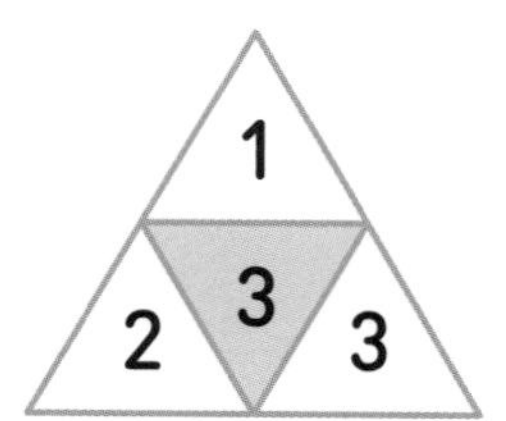
1
2
3
3

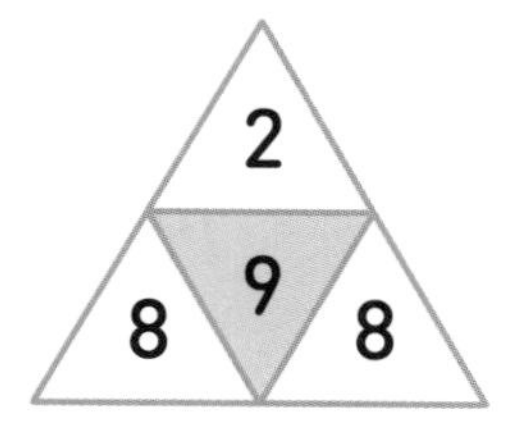
2
8
9
8

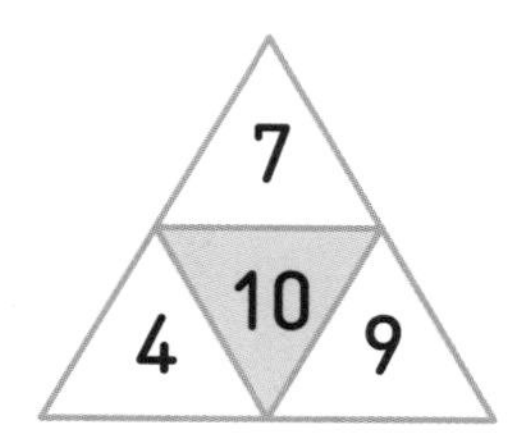
7
4
10
9

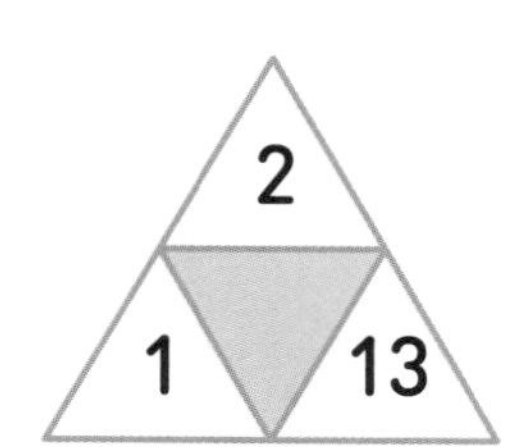
2
1
13

사각 연산 약속

규칙을 찾아 빈 곳에 알맞은 수를 써넣으세요.

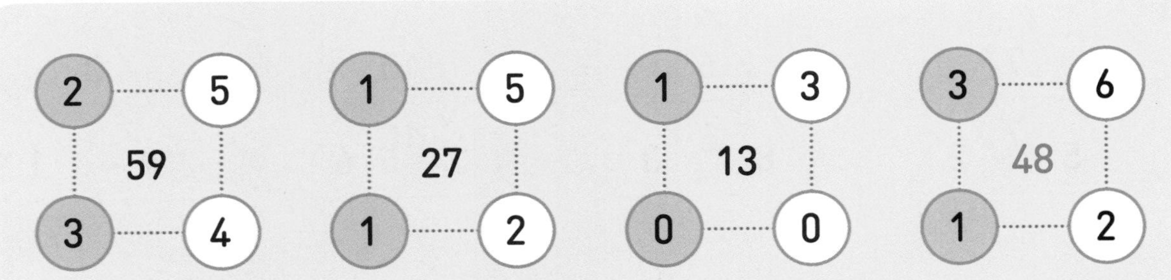

색칠한 수의 합이 가운데 수의 십의 자리 숫자, 색칠하지 않은 수의 합이 가운데 수의 일의 자리 숫자가 됩니다.

색칠된 수끼리,
색칠되지 않은 수끼리
짝을 지은 후 생각해 봐.

❶

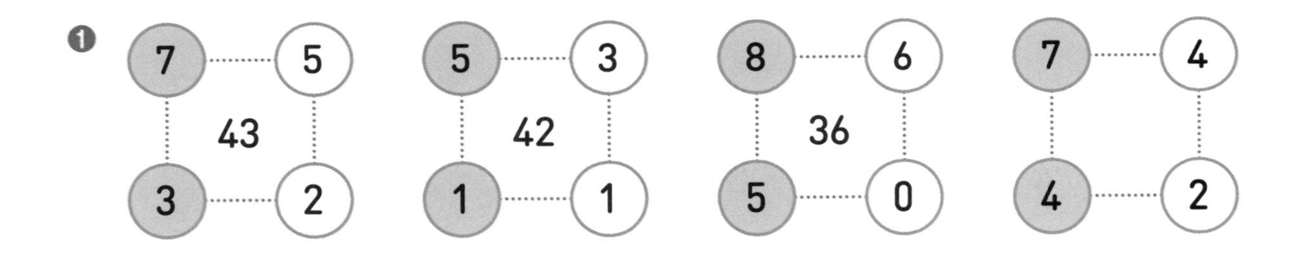

❷

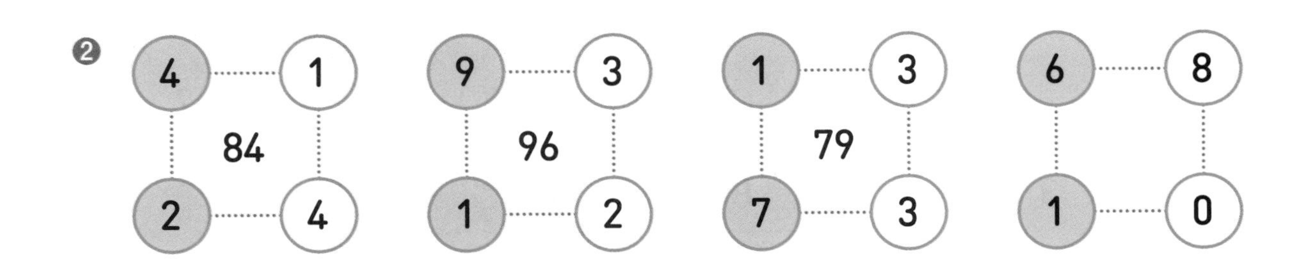

지금부터는 모두 색칠되어 있으니
네 수에서 규칙을 찾아봐.

❸

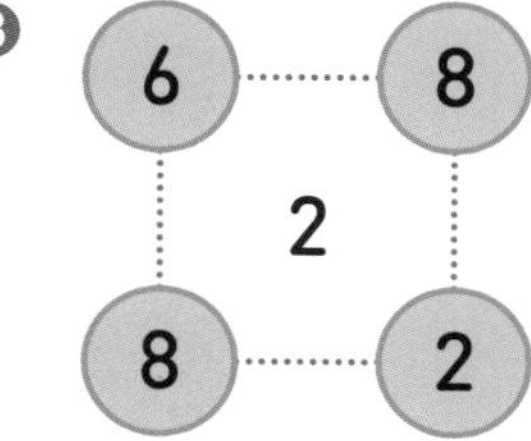

9 3
1
1 8

8 7
4
4 6

7 4

5 3

❹

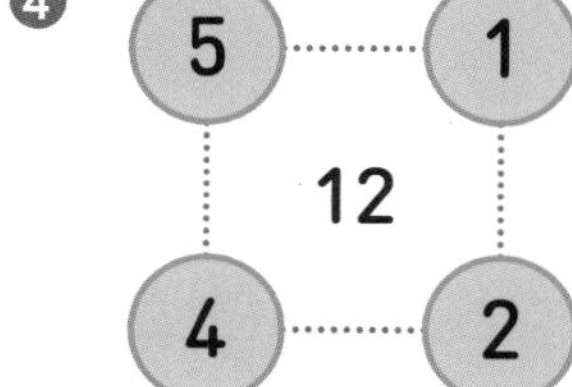

7 3
17
3 4

7 2
18
5 4

8 9

6 2

❺

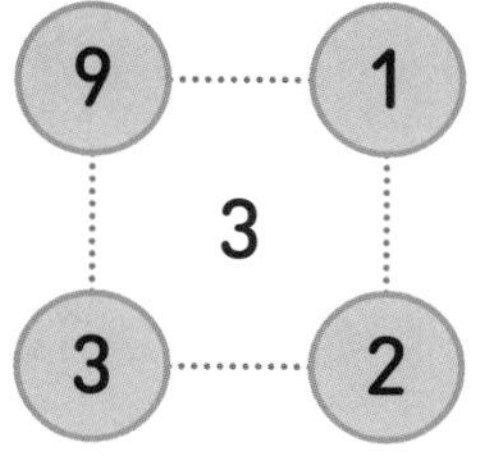

4 3
6
2 15

1 2
1
8 4

4 18

7 2

❻

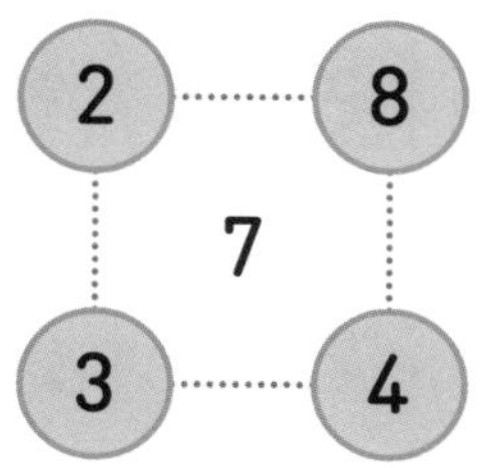

1 3
6
7 5

5 2
0
6 7

2 1

2 4

확인학습

규칙을 찾아 빈 곳에 알맞은 수를 써넣으세요.

❶

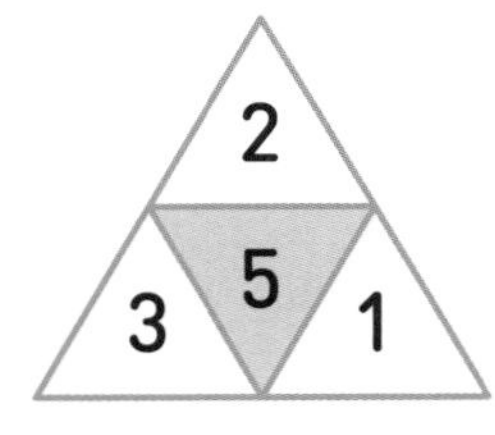

7
17
8
3

9
19
2
9

10
8
4

❷

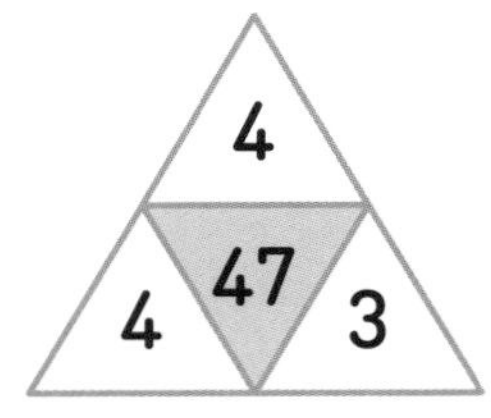

1
18
5
3

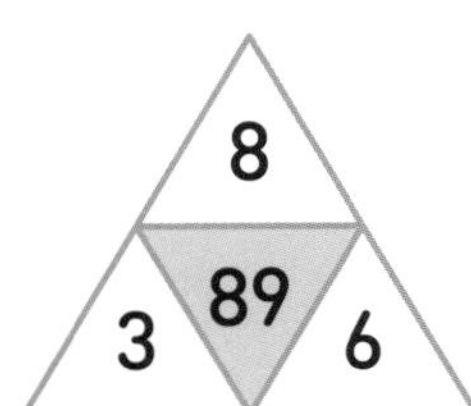

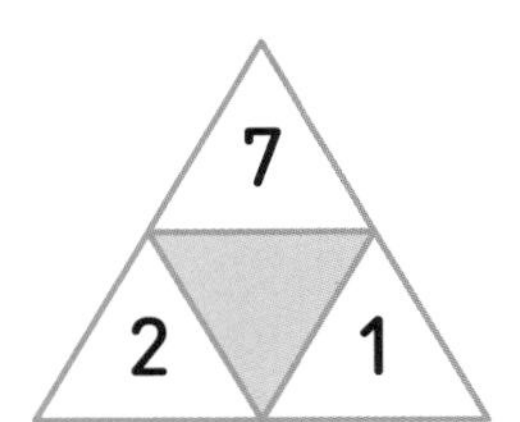

규칙을 찾아 빈 곳에 알맞은 수를 써넣으세요.

❸

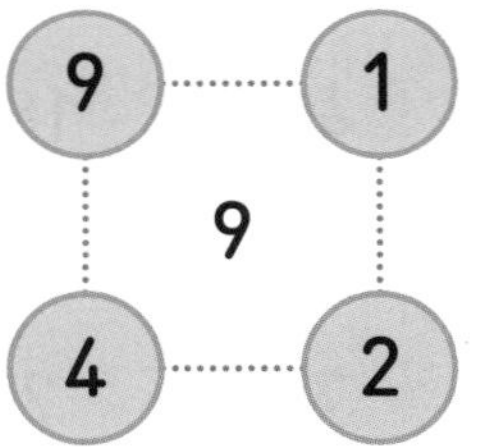

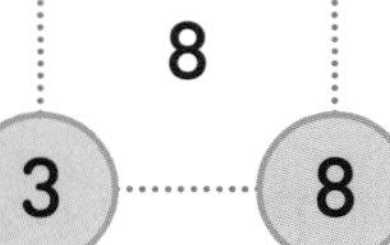

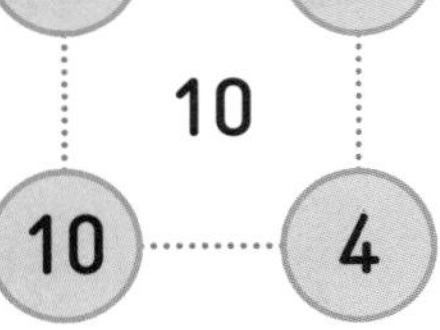

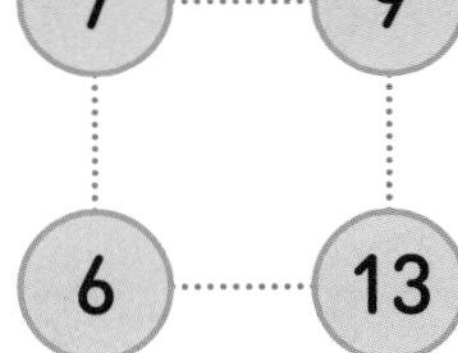

❹

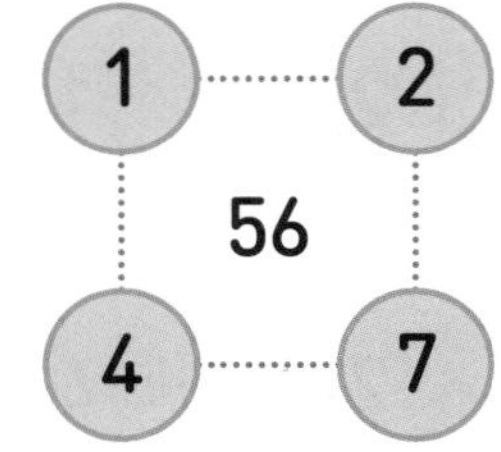

3
3
36
2
2

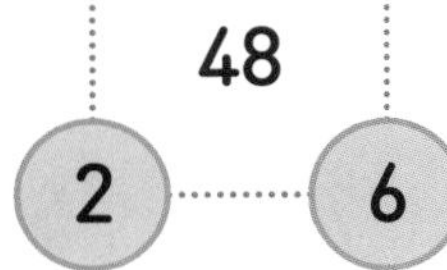

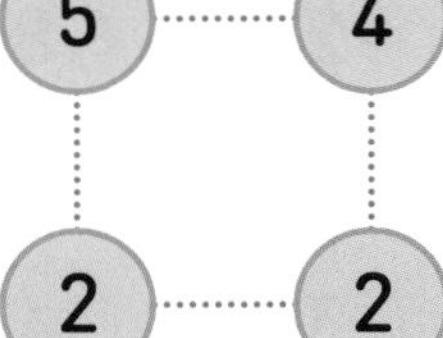

마무리 평가

마무리 평가는 앞에서 공부한 4주차의 유형이 다음과 같은 순서로 나와요.
틀린 문제는 몇 주차인지 확인하여 반드시 다시 한 번 학습하도록 해요.

1주차	3주차
2주차	4주차

TEST 1

마무리 평가

◆ 기준에 따라 왼쪽 그림과 오른쪽 그림으로 나누었습니다. 기준을 찾아 선으로 이어 보세요.

❶

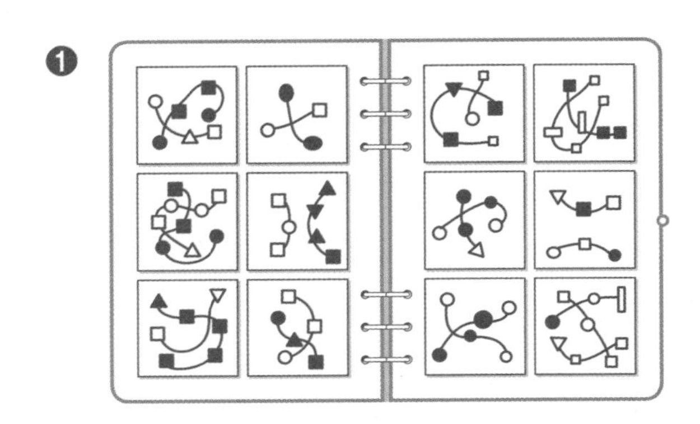

[기준]
왼쪽은 삼각형과 사각형이 보이고, 오른쪽은 삼각형만 보입니다.

❷

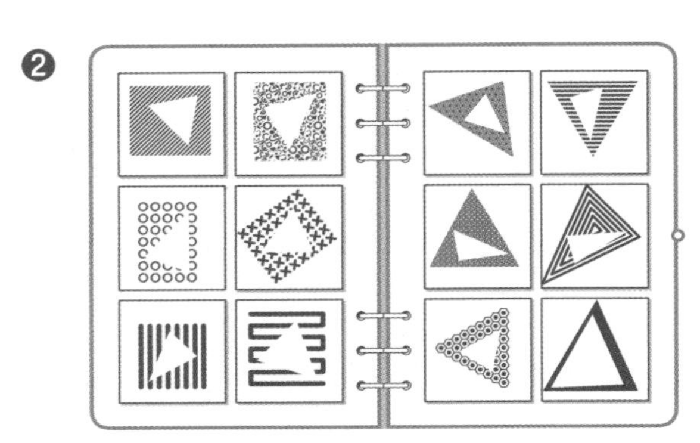

[기준]
왼쪽은 같은 색깔끼리 선으로 이었고, 오른쪽 그림은 그렇지 않습니다.

◆ 기준에 따라 매트릭스로 분류한 것입니다. 잘못 분류된 것을 모두 찾아 ×표 하세요.

❸

모양 / 색깔	삼각형	사각형
초록색		
빨간색		

✤ 관계를 보고 빈 곳에 알맞은 수를 써넣으세요.

❹

3	12	—	7	16	—	8		—		15

❺

2	8	—	5	20	—	9		—		16

❻

1	7	—	4	28	—	6		—		63

✤ 규칙을 찾아 빈 곳에 알맞은 수를 써넣으세요.

❼

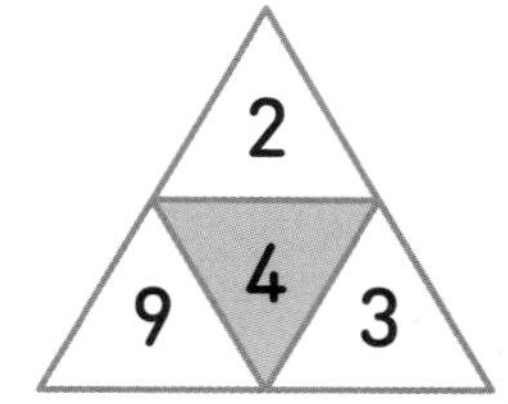

11
5
3
3

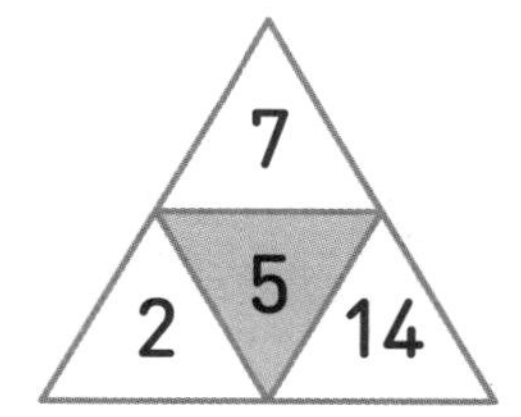

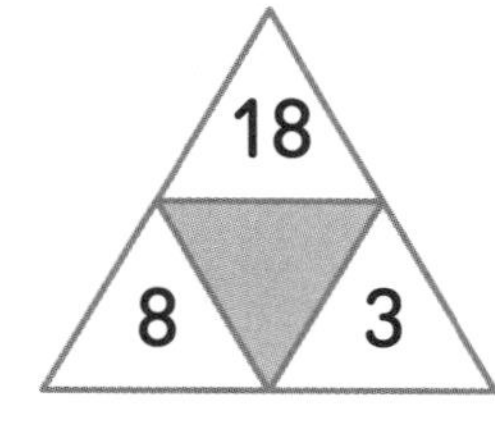

❽

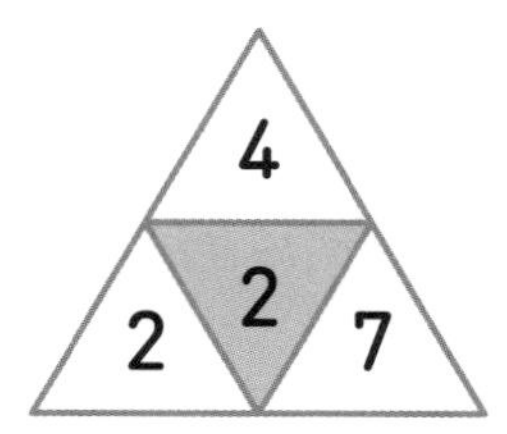

6
9
6
15

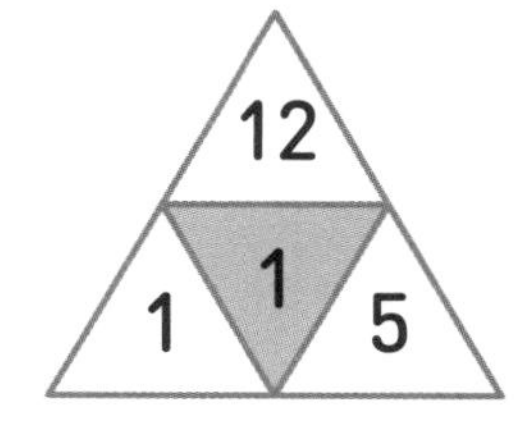

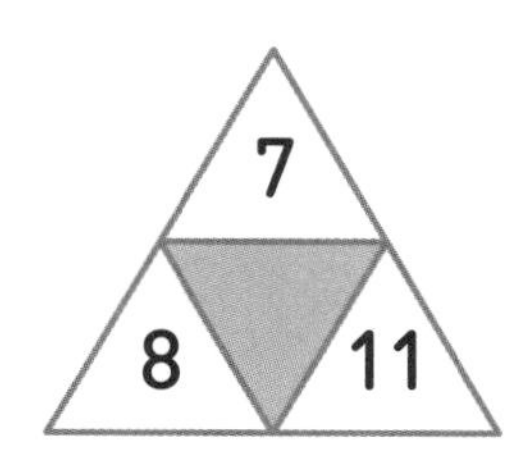

TEST 2

마무리 평가

기준에 맞는 그림에는 ○표, 맞지 않는 그림에는 ×표 하세요.

❶ [기준]
굽은 방향이 같습니다.

❷ [기준]
선이 만납니다.

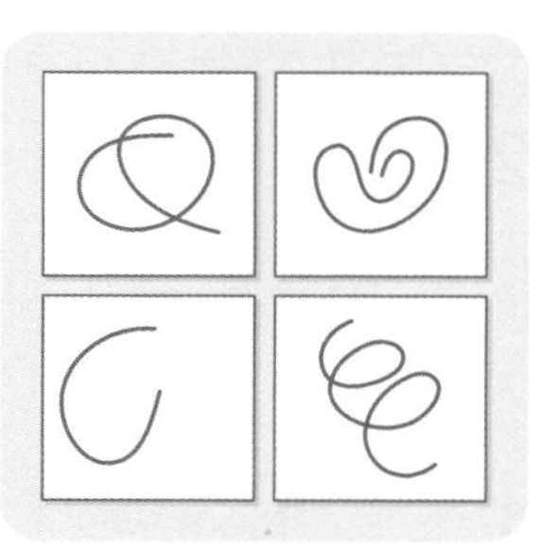

다음 벤다이어그램의 색칠한 곳에 들어가는 것에 모두 ○표 하세요.

❸

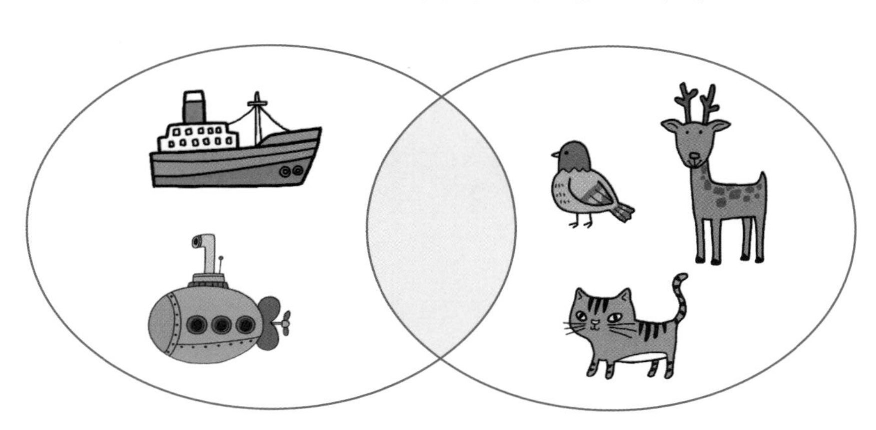

규칙을 찾아 빈 곳에 알맞은 그림을 그려 보세요.

❹

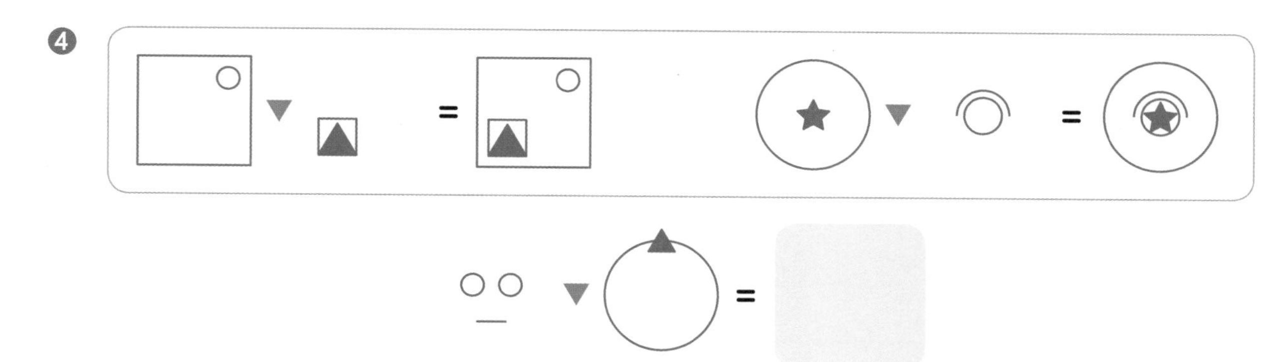

❺

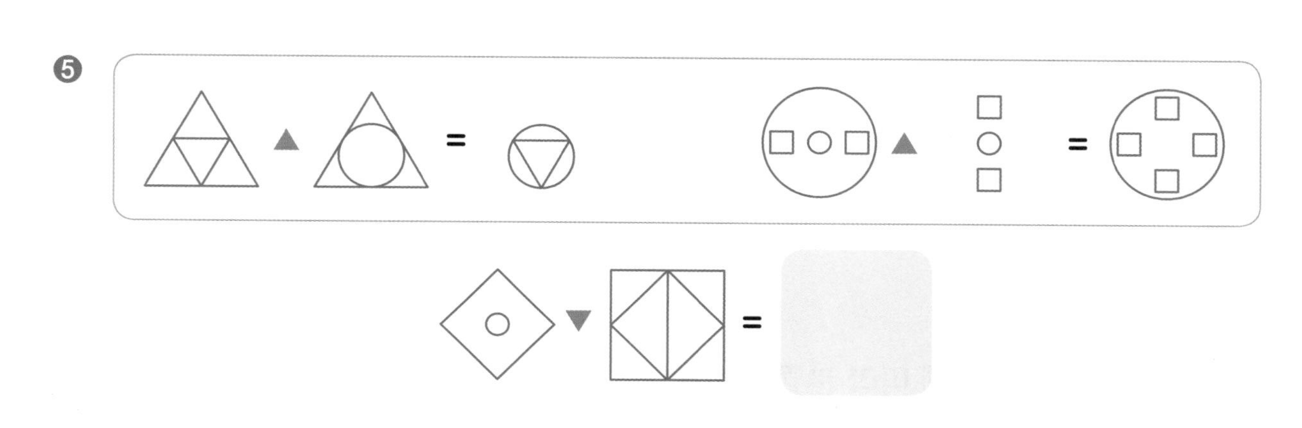

규칙을 찾아 빈 곳에 알맞은 수를 써넣으세요.

❻ ❼

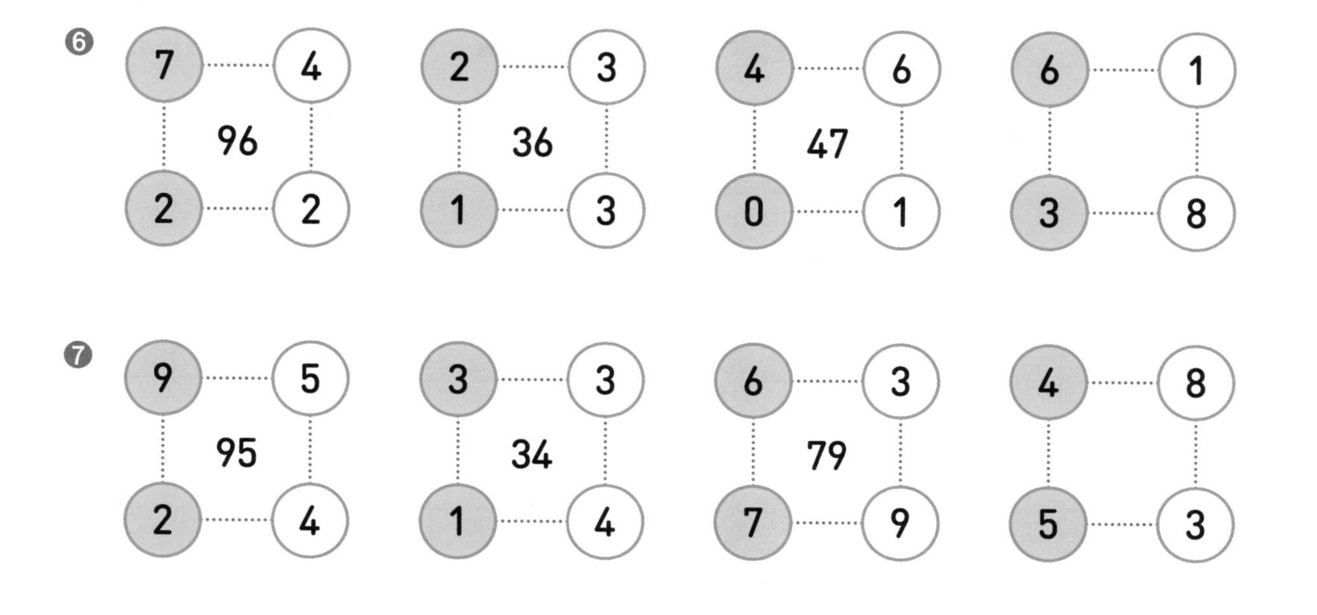

마무리 평가

기준에 따라 주어진 그림을 왼쪽과 오른쪽으로 나누어 보세요.

❶

[기준]
똑같은 모양으로 나누었으면 왼쪽, 아니면 오른쪽에 놓습니다.

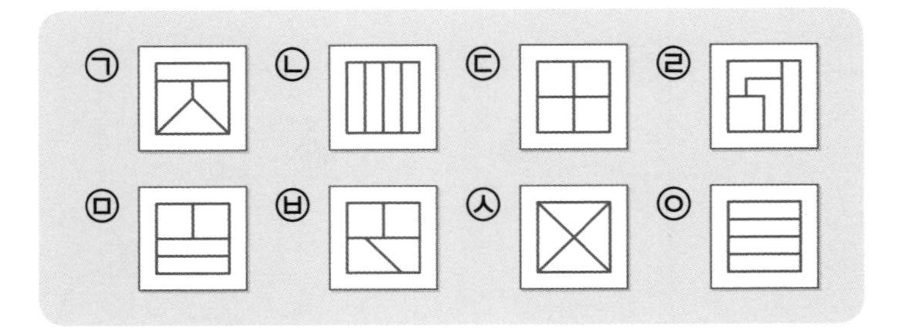

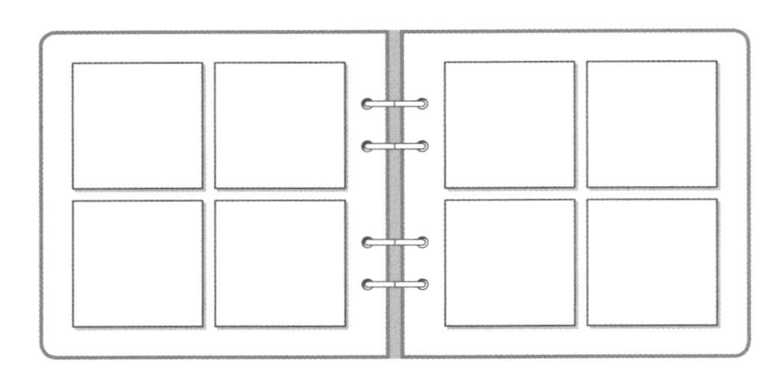

다음 모양을 여러 기준에 따라 분류해 보세요.

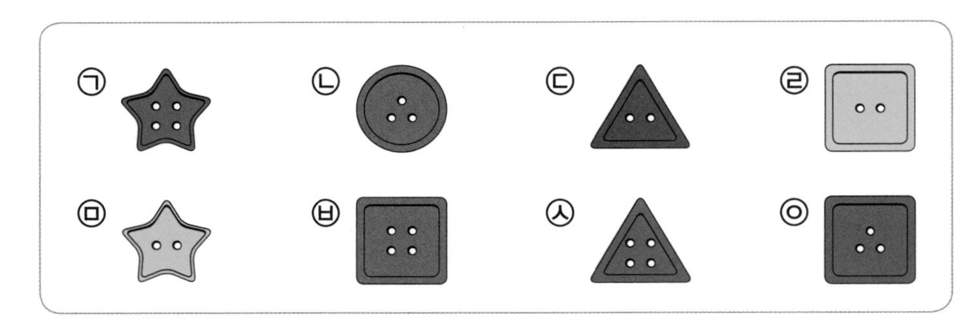

❷

빨간색 단추	빨간색이 아닌 단추

❸

□ 모양 단추	□ 모양이 아닌 단추

✿ 규칙에 맞게 빈 곳에 알맞게 색칠해 보세요.

❹

- **가로:** 오른쪽으로 갈수록 색칠된 칸이 시계 방향으로 한 칸씩 이동합니다.
- **세로:** 아래쪽으로 갈수록 색칠된 칸이 시계 반대 방향으로 한 칸씩 이동합니다.

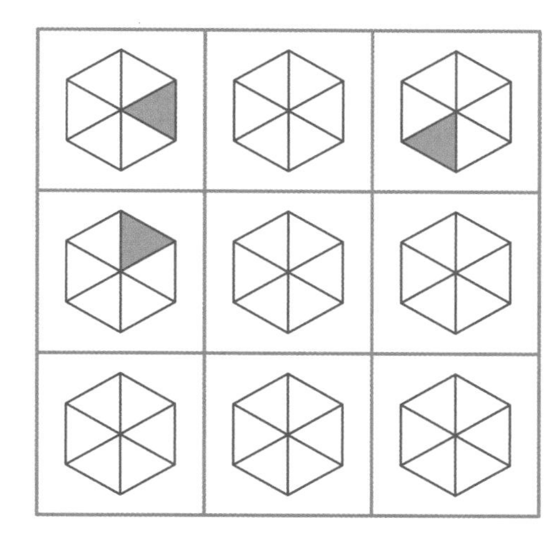

✿ 연산 기호의 규칙을 찾아 □ 안에 알맞은 수를 구해 보세요.

❺

2 —●→ 6

4 —●→ 8

9 —●→ 13

12 —●→ □

❻

8 —◆→ 2

9 —◆→ 3

13 —◆→ 7

17 —◆→ □

❼

2 —■→ 4

5 —■→ 10

7 —■→ 14

9 —■→ □

❽

1 —▲→ 7

3 —▲→ 21

5 —▲→ 35

8 —▲→ □

TEST 4

마무리 평가

기준에 따라 나눈 것을 보고 왼쪽에 들어가야 하는 그림에는 '왼', 오른쪽에 들어가야 하는 그림에는 '오'를 써넣으세요.

❶

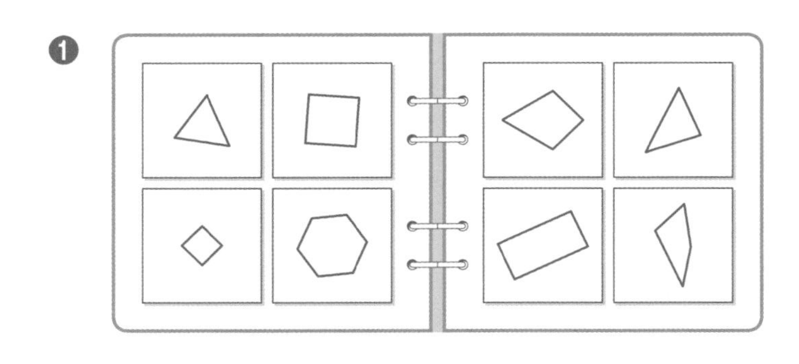

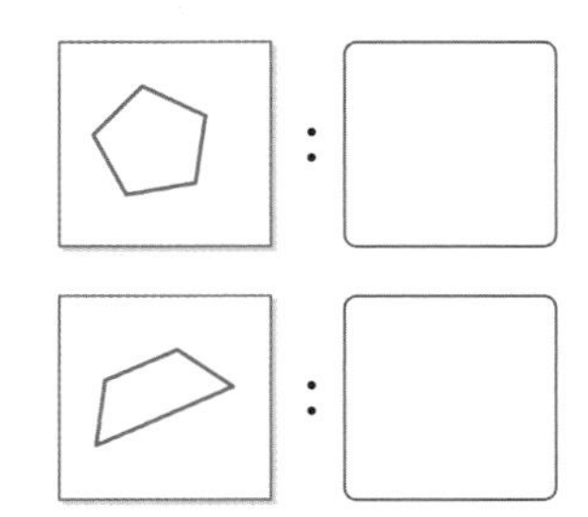

❷

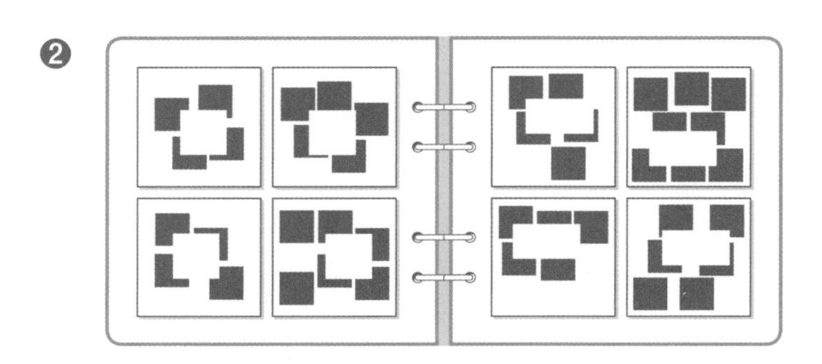

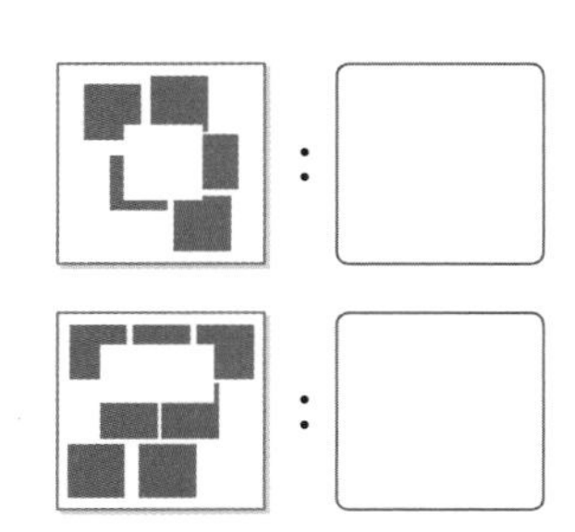

주어진 단어들 사이의 관계를 생각하여 나뭇가지 그림으로 분류하려고 합니다. □ 안에 알맞은 기호를 써넣으세요.

❸

㉠ 삼촌	㉡ 남자
㉢ 사람	㉣ 이모
㉤ 할머니	㉥ 여자
㉦ 할아버지	

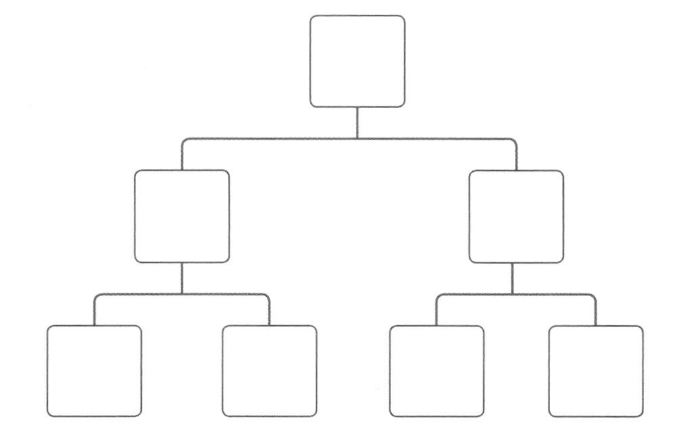

✤ 관계를 보고 빈 곳에 알맞은 도형을 그리거나 색칠해 보세요.

❹

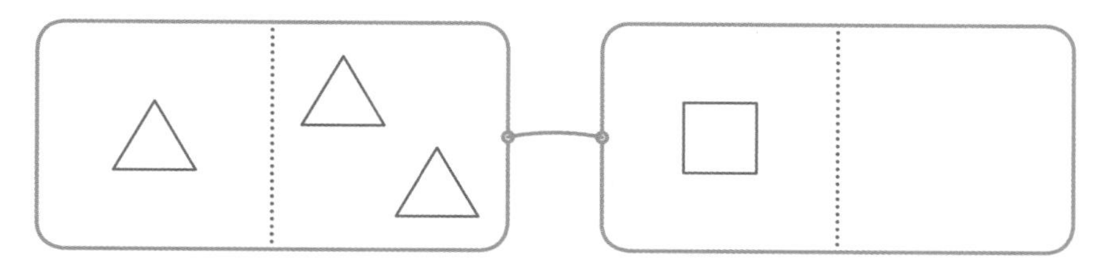

❺

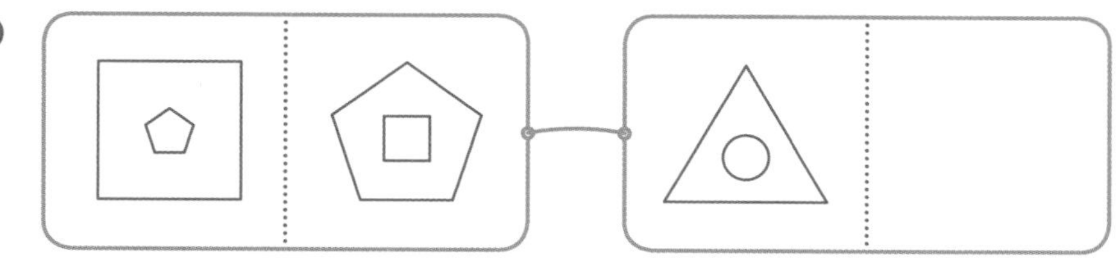

❻

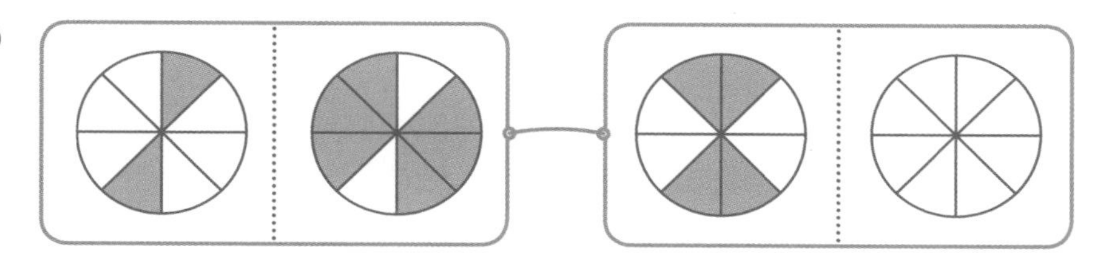

✤ 연산 기호의 규칙을 찾아 선으로 이어 보세요.

❼

3 ■ 3 = 8
4 ■ 5 = 19
6 ■ 4 = 23

두 수의 합을 2배 한 수입니다.

❽

2 ■ 5 = 14
6 ■ 2 = 16
3 ■ 7 = 20

두 수의 곱에서 1을 뺀 수입니다.

마무리 평가

기준에 따라 나누었습니다. 잘못 들어간 그림을 찾아 ╳표 하세요.

❶

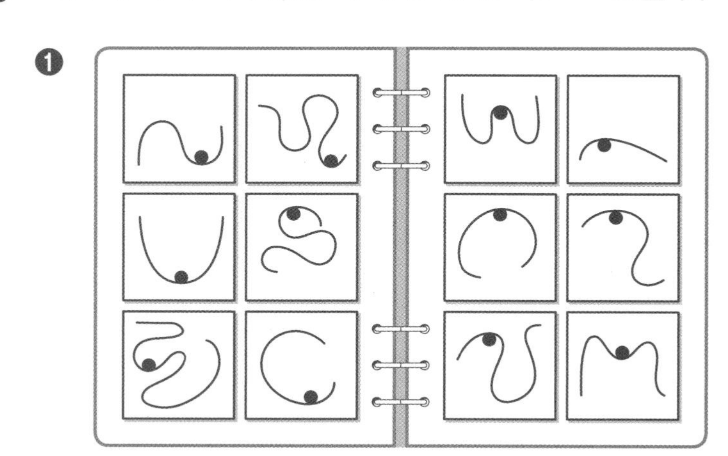

주어진 알파벳 중에서 다음 조건을 모두 만족하는 알파벳을 쓰세요.

A	B	C	D	E	F	G	H	I	K
L	M	N	O	P	R	S	T	V	W

❷

㉠ 둘러싸인 곳이 있는 알파벳
㉡ 연필을 떼지 않고 한 번에 그릴 수 있는 알파벳
㉢ 굽은 선으로만 만들어진 알파벳

❸

㉠ 옆으로 반을 접을 때 완전히 겹쳐지는 알파벳
㉡ 연필을 떼지 않고 한 번에 그릴 수 있는 알파벳
㉢ 곧은 선 2개로 만들어진 알파벳

pensées

제한 시간	15분
맞은 개수	/ 7개

✤ 규칙을 찾아 빈 곳에 알맞은 그림을 그려 넣으세요.

❹

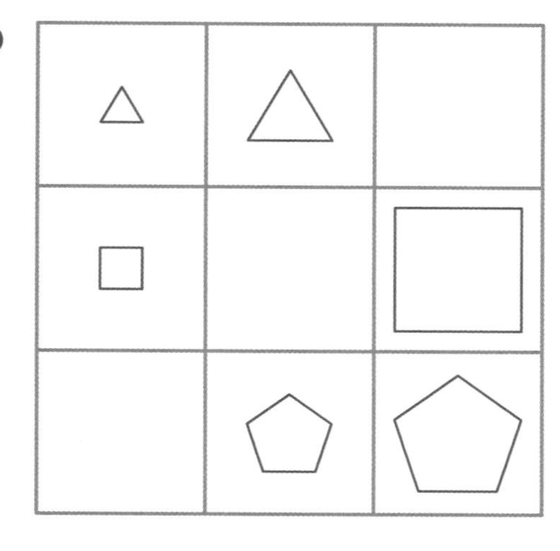

❺

✤ 연산 기호의 규칙에 맞게 답을 적었습니다. 답이 잘못된 식 하나를 찾아 ×표 하세요.

❻

3 ● 4=4	8 ● 5=8	5 ● 4=5
7 ● 2=7	9 ● 5=9	2 ● 3=2

❼

6 ★ 2=13	4 ★ 5 = 21	4 ★ 3=13
8 ★ 1=9	3 ★ 7 =20	7 ★ 9=64

pensées

사고가 자라는 수학
씨투엠

‘사고력수학의 시작’

팡세

pensées

B3

정답과 풀이

네이버 공식 지원 카페 필즈엠

씨투엠에듀 공식 인스타그램

‘사고력수학의 시작’

팡세

pensées

B3

정답과 풀이

1주차 봉가드 문제

DAY 1 분류 기준

기준에 따라 그림을 왼쪽과 오른쪽으로 나누었습니다. 기준을 찾아 선으로 이어 보세요.

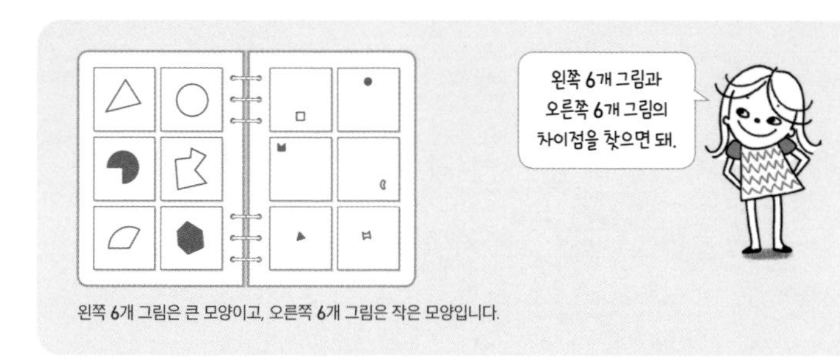
왼쪽 6개 그림과
오른쪽 6개 그림의
차이점을 찾으면 돼.

왼쪽 6개 그림은 큰 모양이고, 오른쪽 6개 그림은 작은 모양입니다.

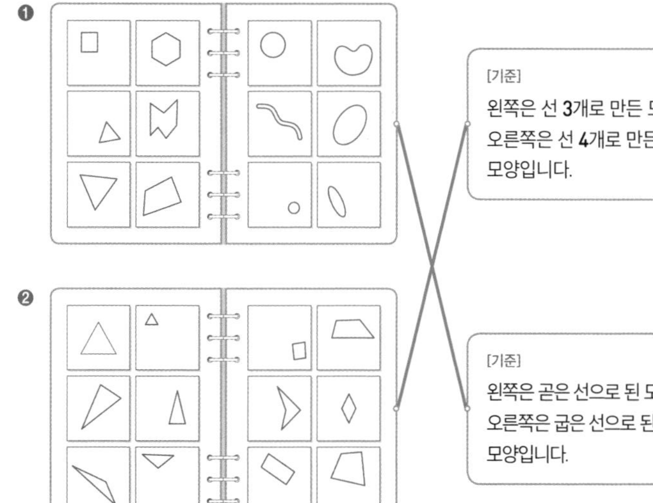

❶

[기준]
왼쪽은 선 **3**개로 만든 모양, 오른쪽은 선 **4**개로 만든 모양입니다.

❷

[기준]
왼쪽은 곧은 선으로 된 모양, 오른쪽은 굽은 선으로 된 모양입니다.

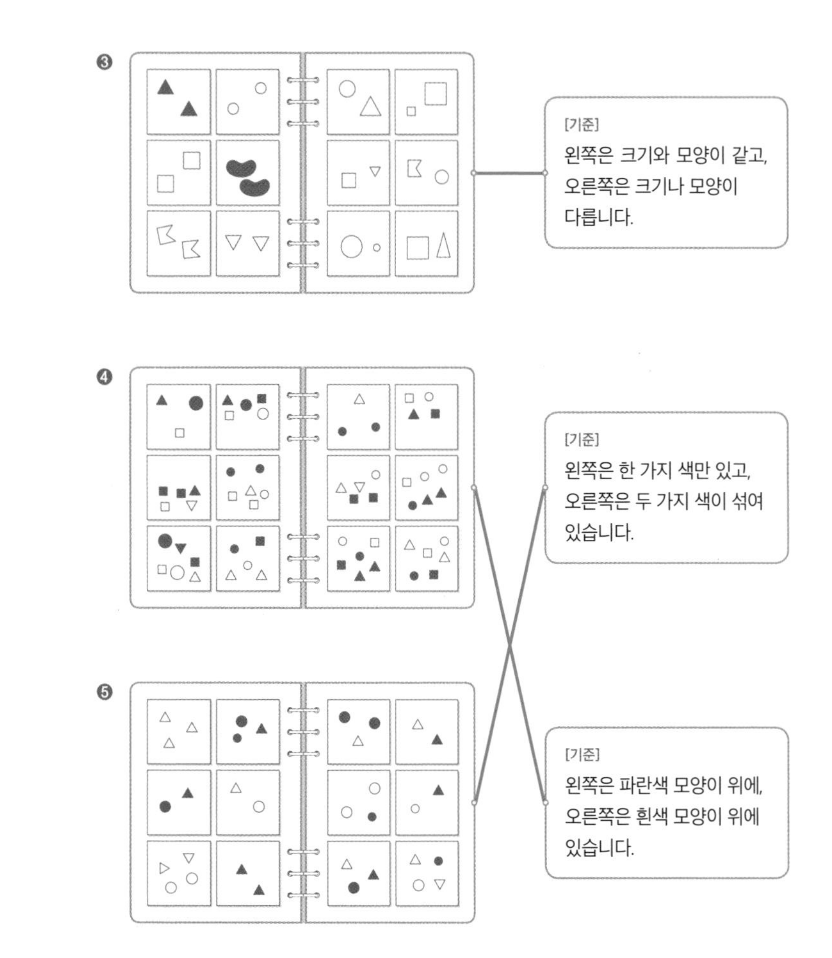

❸

[기준]
왼쪽은 크기와 모양이 같고, 오른쪽은 크기나 모양이 다릅니다.

❹

[기준]
왼쪽은 한 가지 색만 있고, 오른쪽은 두 가지 색이 섞여 있습니다.

❺

[기준]
왼쪽은 파란색 모양이 위에, 오른쪽은 흰색 모양이 위에 있습니다.

기준에 맞는 그림

기준에 맞는 그림에는 ◯표, 맞지 않는 그림에는 ×표 하세요.

[기준]
◯ 모양이 △ 모양보다 작습니다.

❶ [기준]
선을 기준으로 양쪽에 + 모양의 개수가 같습니다.

❷ [기준]
세로보다 가로가 더 깁니다.

❸ [기준]
색칠한 것은 ◯ 모양입니다.

❹ [기준]
크기가 비슷한 모양입니다.

❺ [기준]
모양 안에 있는 점이 모양 밖에 있는 점보다 많습니다.

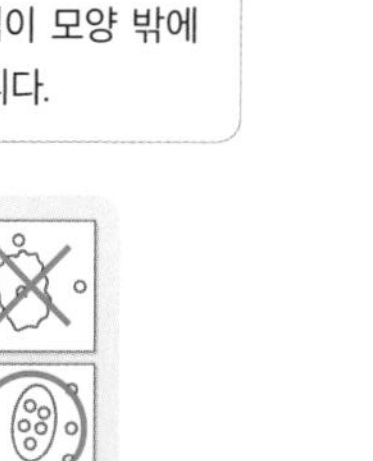

❻ [기준]
가운데에서 시작하여 시계 방향으로 선을 이었습니다.

DAY 3 기준에 따른 분류 (1)

기준에 따라 주어진 그림을 왼쪽과 오른쪽으로 나누어 보세요.

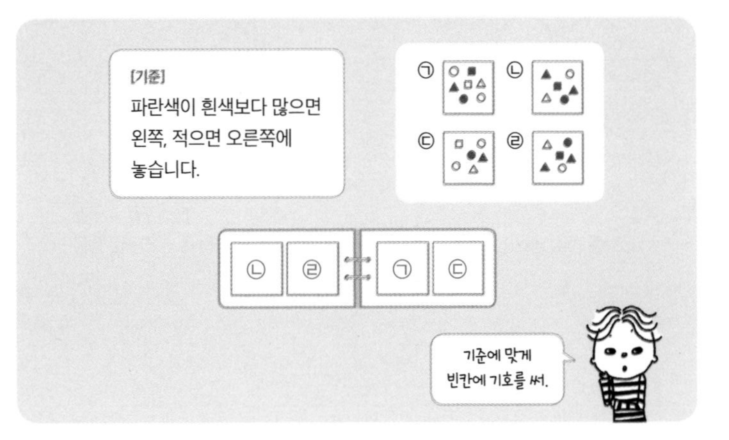

[기준]
파란색이 흰색보다 많으면 왼쪽, 적으면 오른쪽에 놓습니다.
㉠
㉡
㉢
㉣
㉡ ㉣
㉠ ㉢
기준에 맞게 빈칸에 기호를 써.

❶ [기준]
모양이 1개면 왼쪽, 2개면 오른쪽에 놓습니다.

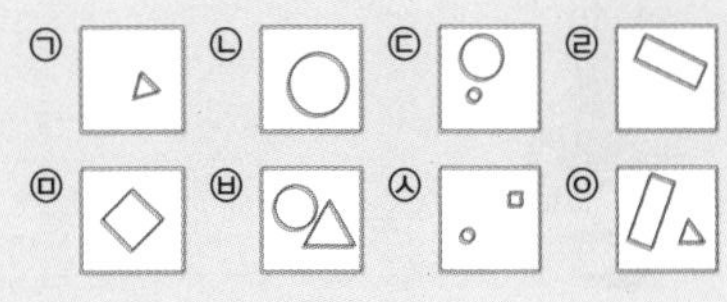

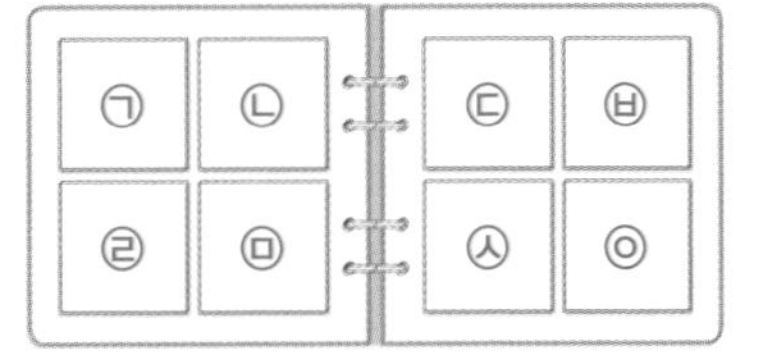

❷ [기준]
연필을 떼지 않고 그릴 때 선이 만나면 왼쪽, 만나지 않으면 오른쪽에 놓습니다.

㉠ ㉡ ㉢ ㉣
㉤ ㉥ ㉦ ㉧

㉠	㉢	㉡	㉣
㉥	㉧	㉤	㉦

❸ [기준]
왼쪽 가지가 위에 있으면 왼쪽, 오른쪽 가지가 위에 있으면 오른쪽에 놓습니다.

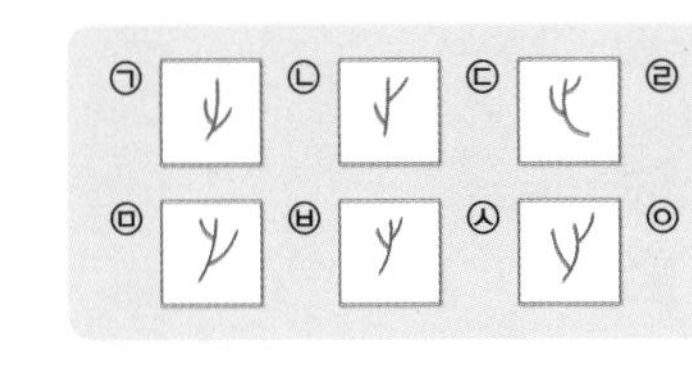

㉠	㉣	㉡	㉢
㉤	㉧	㉥	㉦

DAY 4 기준에 따른 분류 (2)

✎ 기준에 따라 나눈 것을 보고 왼쪽에 들어가야 하는 그림에는 '왼', 오른쪽에 들어가야 하는 그림에는 '오'를 써넣으세요.

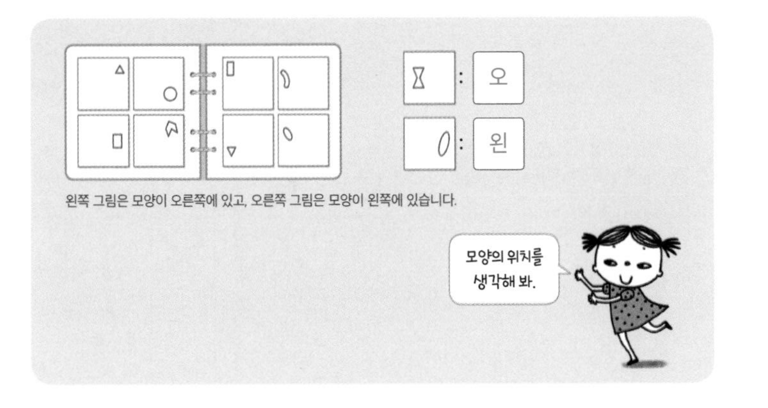

오
왼
왼쪽 그림은 모양이 오른쪽에 있고, 오른쪽 그림은 모양이 왼쪽에 있습니다.
모양의 위치를 생각해 봐.

❶

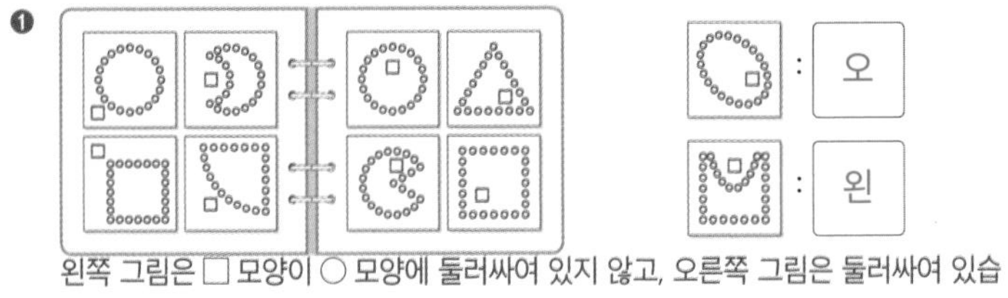

왼쪽 그림은 □ 모양이 ○ 모양에 둘러싸여 있지 않고, 오른쪽 그림은 둘러싸여 있습니다.

❷

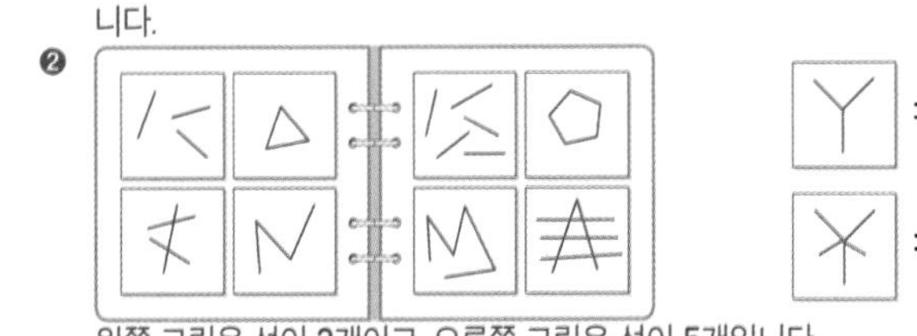

왼쪽 그림은 선이 3개이고, 오른쪽 그림은 선이 5개입니다.

❸

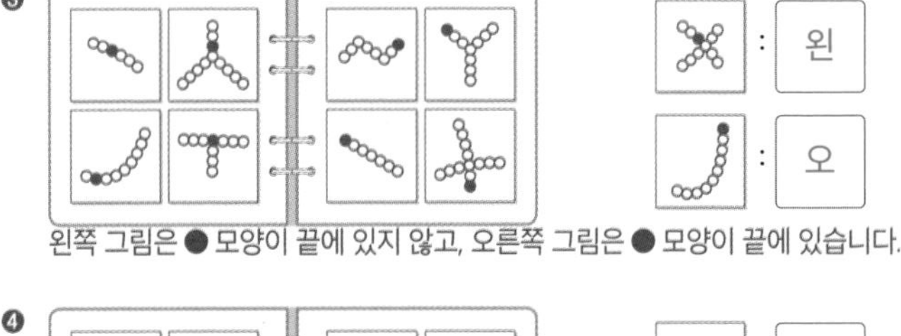

왼쪽 그림은 ● 모양이 끝에 있지 않고, 오른쪽 그림은 ● 모양이 끝에 있습니다.

❹

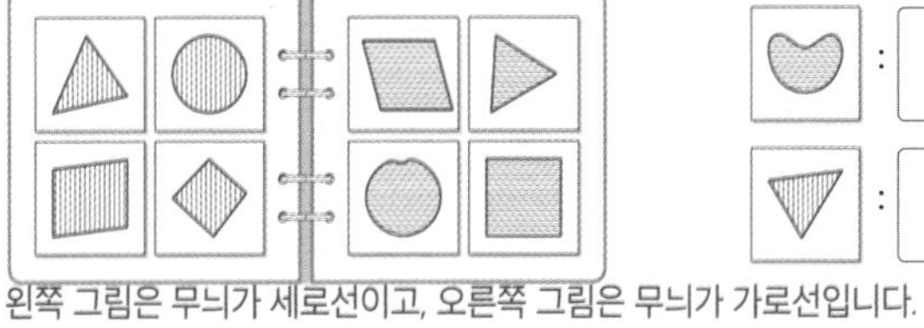

왼쪽 그림은 무늬가 세로선이고, 오른쪽 그림은 무늬가 가로선입니다.

❺

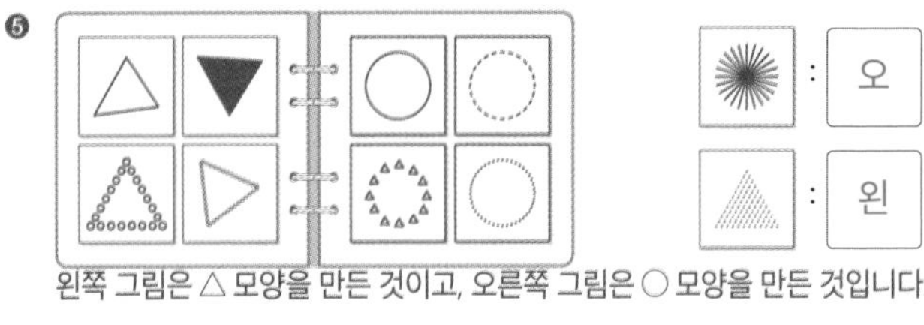

왼쪽 그림은 △ 모양을 만든 것이고, 오른쪽 그림은 ○ 모양을 만든 것입니다.

❻

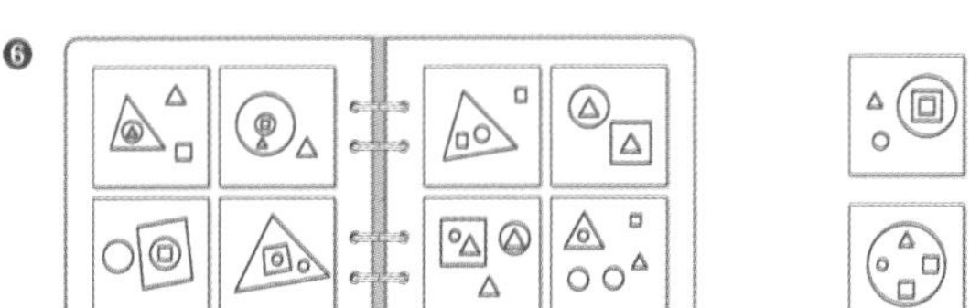

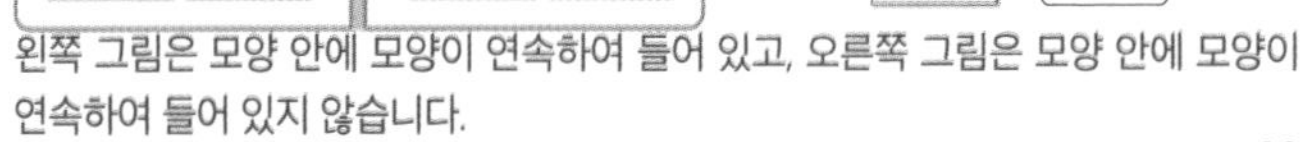

왼쪽 그림은 모양 안에 모양이 연속하여 들어 있고, 오른쪽 그림은 모양 안에 모양이 연속하여 들어 있지 않습니다.

DAY 5 잘못 들어간 그림

✏ 기준에 따라 나누었습니다. 잘못 들어간 그림을 찾아 ×표 하세요.

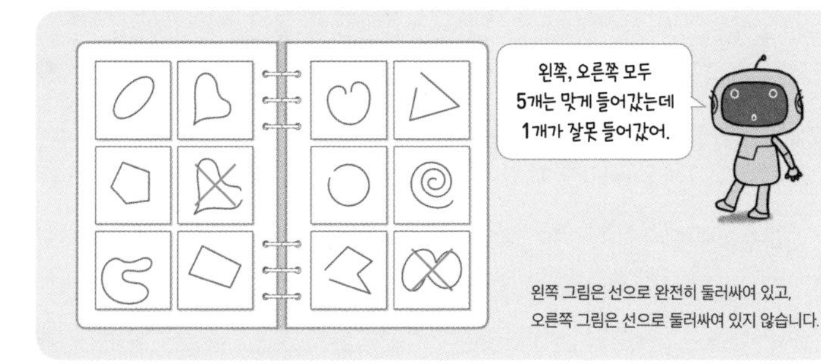

왼쪽, 오른쪽 모두
5개는 맞게 들어갔는데
1개가 잘못 들어갔어.

왼쪽 그림은 선으로 완전히 둘러싸여 있고,
오른쪽 그림은 선으로 둘러싸여 있지 않습니다.

❶

왼쪽 그림은 모양이 3개이고, 오른쪽 그림은 모양이 5개입니다.

❷

왼쪽 그림은 굽은 선의 안쪽에 △ 모양이 있고, 오른쪽 그림은 굽은 선의 바깥쪽에 △ 모양이 있습니다.

❸

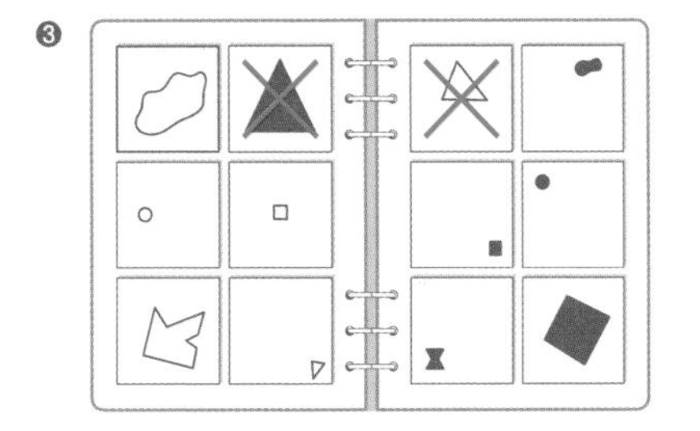

왼쪽 그림은 흰색 모양이고, 오른쪽 그림은 파란색 모양입니다.

❹

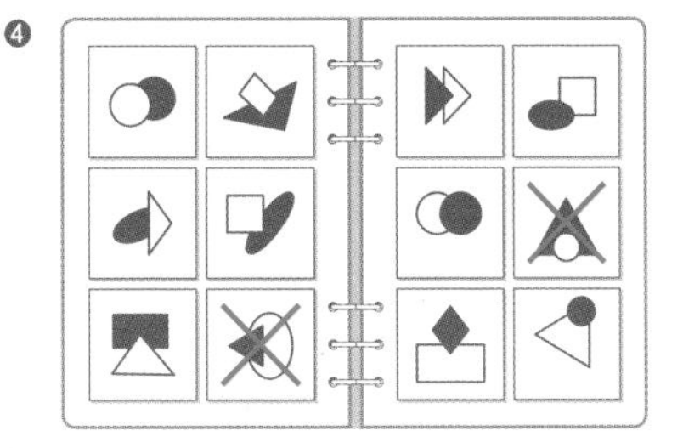

왼쪽 그림은 흰색 모양이 파란색 모양을 가렸고, 오른쪽 그림은 파란색 모양이 흰색 모양을 가렸습니다.

❺

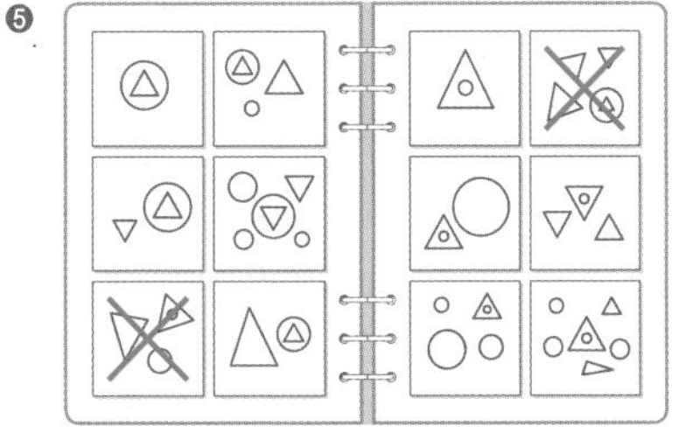

왼쪽 그림은 ○ 모양 안에 △ 모양이 있고, 오른쪽 그림은 △ 모양 안에 ○ 모양이 있습니다.

확인학습

✎ 기준에 따라 나눈 것을 보고 왼쪽에 들어가야 하는 그림에는 '왼', 오른쪽에 들어가야 하는 그림에는 '오'를 써넣으세요.

❶

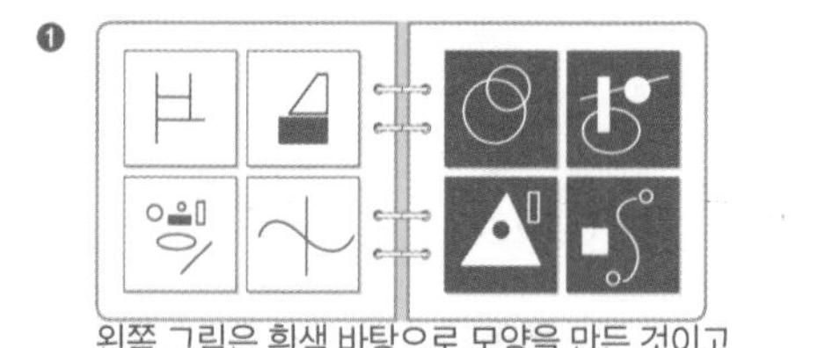

왼쪽 그림은 흰색 바탕으로 모양을 만든 것이고,
오른쪽 그림은 파란색 바탕으로 모양을 만든 것입니다.

: 오

: 왼

❷

왼쪽 그림은 세 선이 나란히 있는 모양이고,
오른쪽 그림은 세 선이 나란히 있지 않은 모양입니다.

: 왼

: 오

✎ 기준에 따라 나누었습니다. 잘못 들어간 그림을 찾아 ×표 하세요.

❸

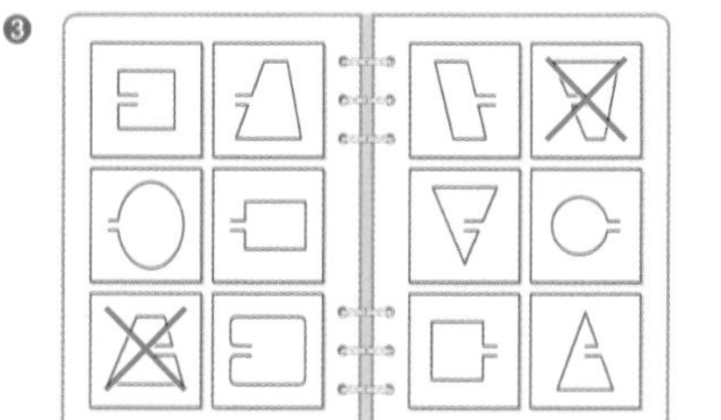

왼쪽 그림은 입구가 왼쪽에 있고,
오른쪽 그림은 입구가 오른쪽에 있습니다.

2주차 속성에 따른 분류

DAY 1 모양 분류

pensées

여러 기준에 따라 분류해 보세요.

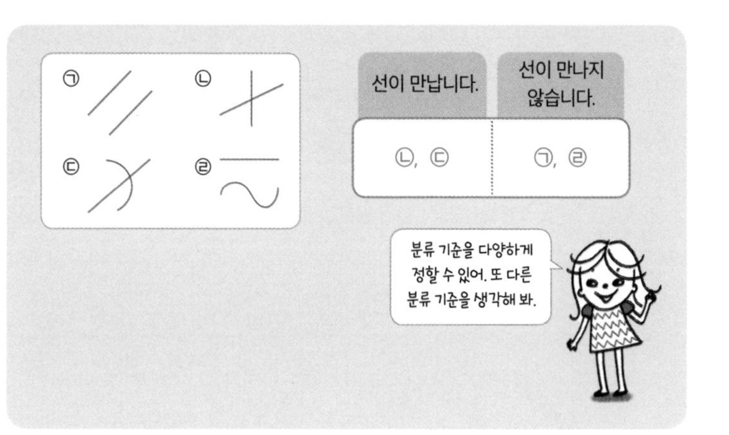

선이 만납니다.	선이 만나지 않습니다.
㉡, ㉢	㉠, ㉣

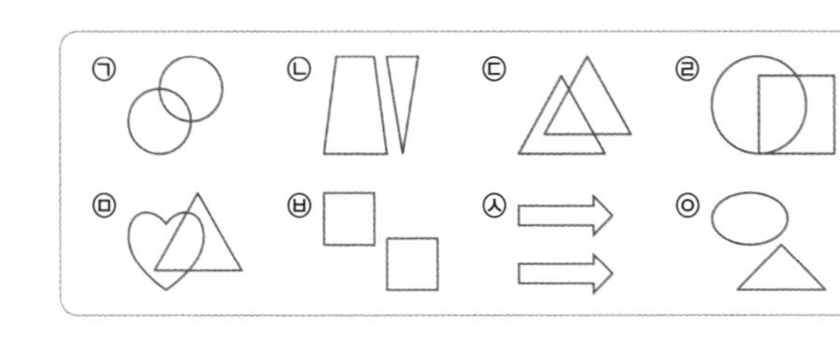

분류 기준을 다양하게 정할 수 있어. 또 다른 분류 기준을 생각해 봐.

❶

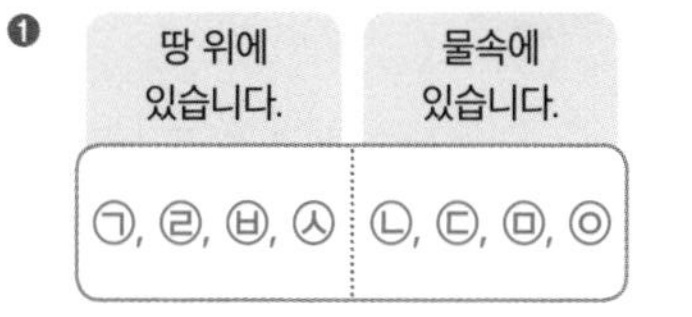

땅 위에 있습니다.	물속에 있습니다.
㉠, ㉣, ㉥, ㉦	㉡, ㉢, ㉤, ㉧

❷

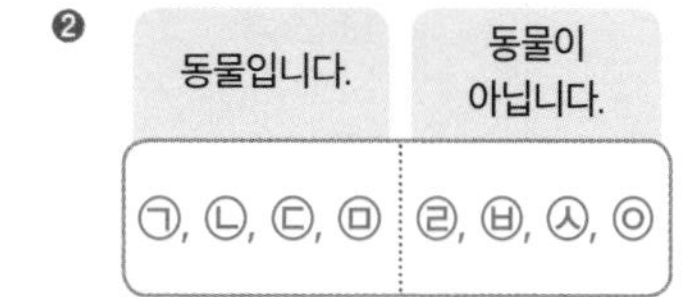

동물입니다.	동물이 아닙니다.
㉠, ㉡, ㉢, ㉤	㉣, ㉥, ㉦, ㉧

❸

두 모양이 같습니다.	두 모양이 다릅니다.
㉠, ㉢, ㉥, ㉦	㉡, ㉣, ㉤, ㉧

❹

겹쳐져 있습니다.	겹쳐져 있지 않습니다.
㉠, ㉢, ㉣, ㉤	㉡, ㉥, ㉦, ㉧

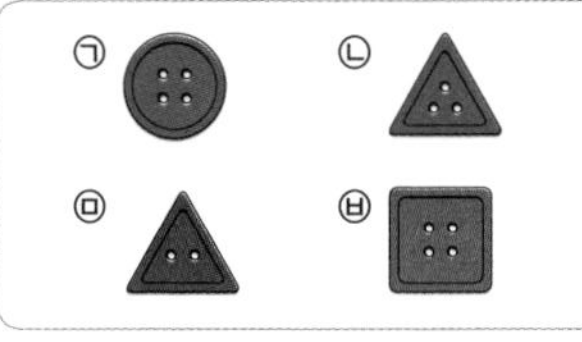

❺

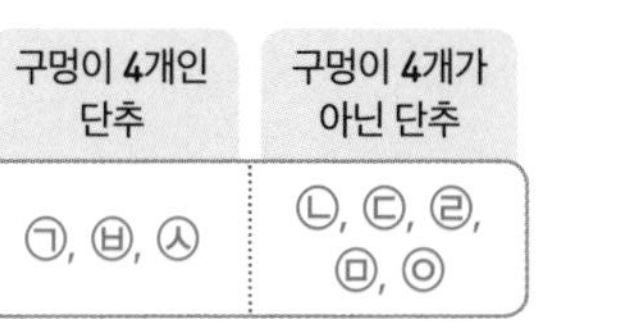

구멍이 4개인 단추	구멍이 4개가 아닌 단추
㉠, ㉥, ㉦	㉡, ㉢, ㉣, ㉤, ㉧

❻

○ 모양 단추	○ 모양이 아닌 단추
㉠, ㉢, ㉧	㉡, ㉣, ㉤, ㉥, ㉦

DAY 2

수와 문자 분류

pensées

✎ 1부터 9까지의 디지털 숫자 중에서 다음 조건을 모두 만족하는 숫자를 쓰세요.

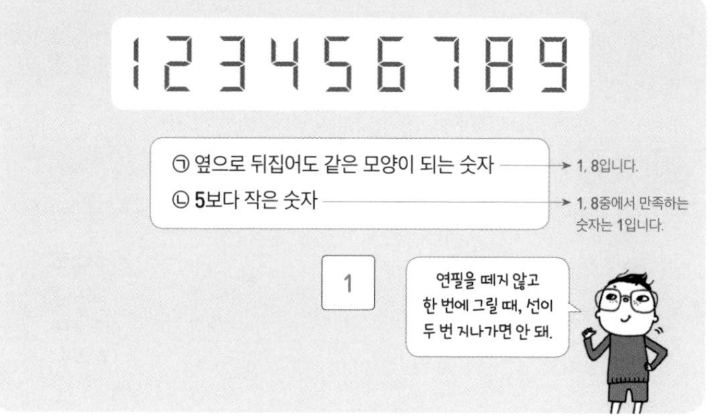

1 2 3 4 5 6 7 8 9
㉠ 옆으로 뒤집어도 같은 모양이 되는 숫자 → 1, 8입니다.
㉡ 5보다 작은 숫자 → 1, 8중에서 만족하는 숫자는 1입니다.
1
연필을 떼지 않고 한 번에 그릴 때, 선이 두 번 지나가면 안 돼.

❶
㉠ 위로 뒤집었을 때 다른 숫자가 되는 숫자 2, 5
㉡ **4**보다 큰 숫자 5

5

㉠, ㉡, ㉢의 순서대로 조건을 만족하는 숫자를 찾아봅니다.

❷
㉠ 둘러싸인 곳이 있는 숫자 6, 8, 9
㉡ **3**의 단 곱셈구구의 곱인 숫자 6, 9
㉢ **7**보다 큰 숫자 9

9

✎ 주어진 자음 중에서 다음 조건을 모두 만족하는 자음을 쓰세요.

ㄱ	ㄴ	ㄷ	ㄹ	ㅁ	ㅂ	ㅅ
ㅇ	ㅈ	ㅊ	ㅋ	ㅌ	ㅍ	ㅎ

❸
㉠ 옆으로 반을 접을 때 완전히 겹쳐지는 자음 ㅁ, ㅂ, ㅅ, ㅇ, ㅈ, ㅊ, ㅍ, ㅎ
㉡ 굽은 선이 없는 자음 ㅁ, ㅂ, ㅅ, ㅈ, ㅊ, ㅍ
㉢ 연필을 떼지 않고 한 번에 그릴 수 있는 자음 ㅁ

ㅁ

㉠, ㉡, ㉢의 순서대로 조건을 만족하는 자음을 찾아봅니다.

❹
㉠ 위로 반을 접을 때 완전히 겹쳐지는 자음 ㄷ, ㅁ, ㅇ, ㅌ, ㅍ
㉡ 연필을 떼지 않고 한 번에 그릴 수 있는 자음 ㄷ, ㅁ, ㅇ
㉢ 곧은 선 **3**개로 만들어진 자음 ㄷ

ㄷ

❺
㉠ 둘러싸인 곳이 있는 자음 ㅁ, ㅂ, ㅇ, ㅍ, ㅎ
㉡ 굽은 선이 있는 자음 ㅇ, ㅎ
㉢ 연필을 떼지 않고 한 번에 그릴 수 있는 자음 ㅇ

ㅇ

DAY 3 나뭇가지 그림

✎ 주어진 단어들 사이의 관계를 생각하여 나뭇가지 그림으로 분류하려고 합니다. □ 안에 알맞은 기호를 써넣으세요.

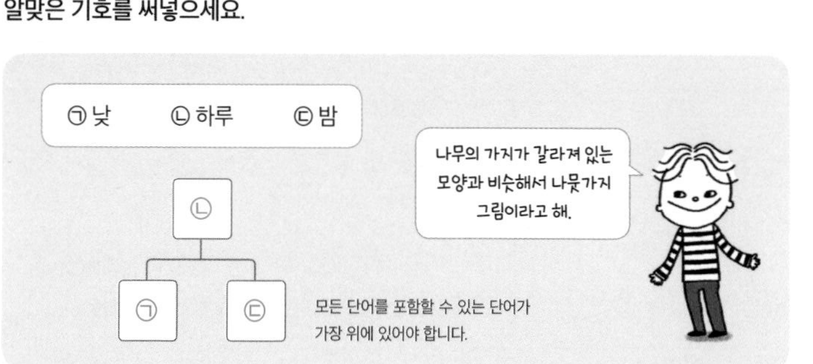

㉠ 낮 ㉡ 하루 ㉢ 밤
㉡
㉠ ㉢
모든 단어를 포함할 수 있는 단어가 가장 위에 있어야 합니다.
나무의 가지가 갈라져 있는 모양과 비슷해서 나뭇가지 그림이라고 해.

❶

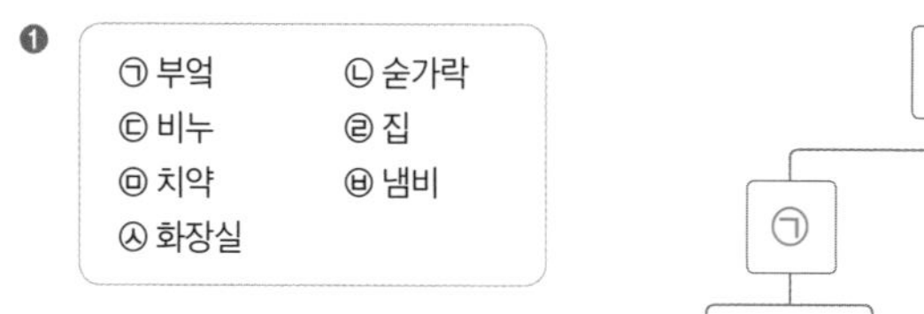

㉠ 부엌 ㉡ 숟가락
㉢ 비누 ㉣ 집
㉤ 치약 ㉥ 냄비
㉦ 화장실

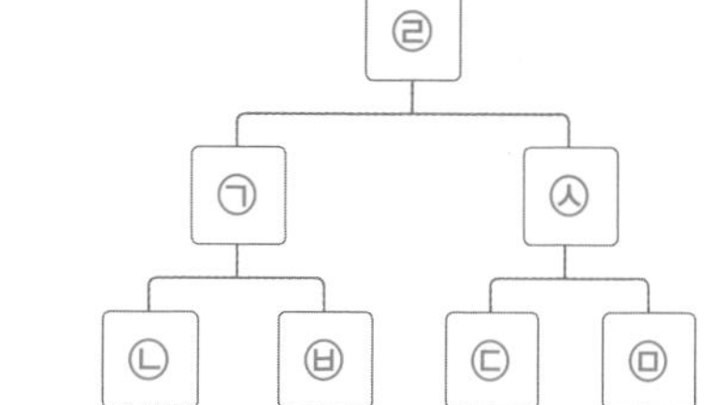

이 외에도 여러 가지 방법이 있습니다.

❷

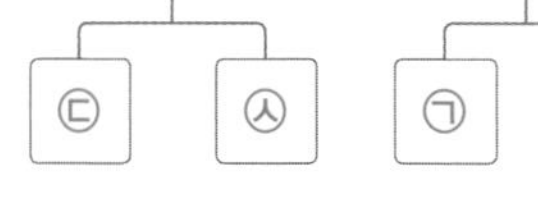

㉠ 나비 ㉡ 새
㉢ 동물 ㉣ 비둘기
㉤ 곤충 ㉥ 개미
㉦ 제비

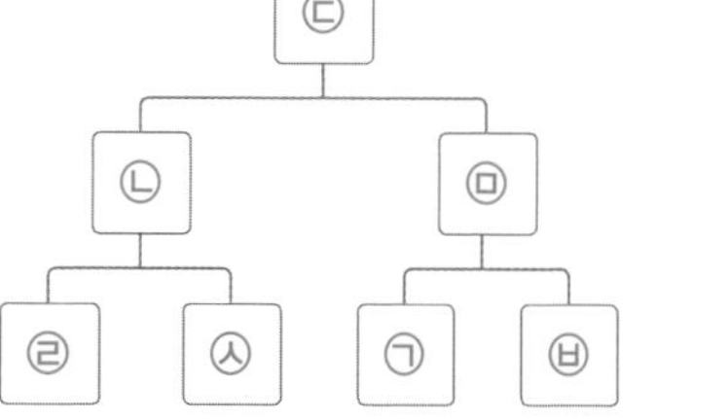

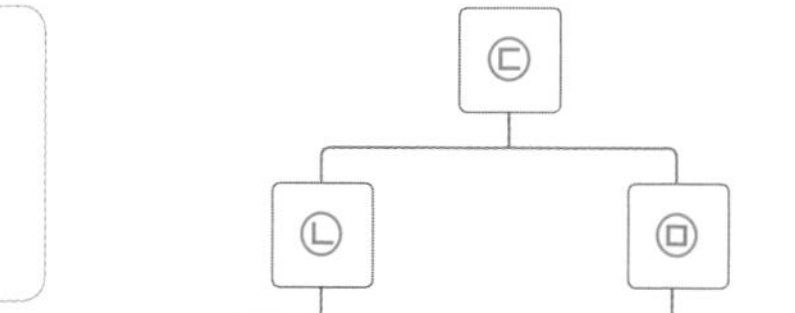

❸

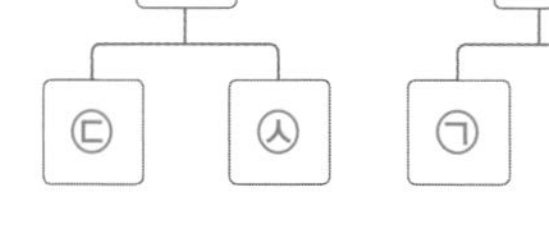

㉠ 학용품 ㉡ 가위
㉢ 자르는 것 ㉣ 볼펜
㉤ 쓰는 것 ㉥ 연필
㉦ 칼

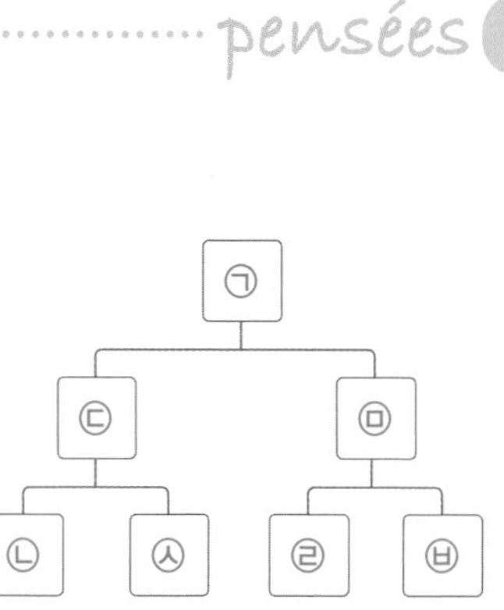

이 외에도 여러 가지 방법이 있습니다.

❹

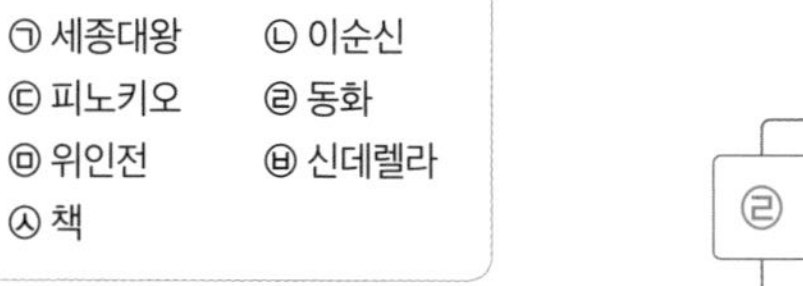

㉠ 세종대왕 ㉡ 이순신
㉢ 피노키오 ㉣ 동화
㉤ 위인전 ㉥ 신데렐라
㉦ 책

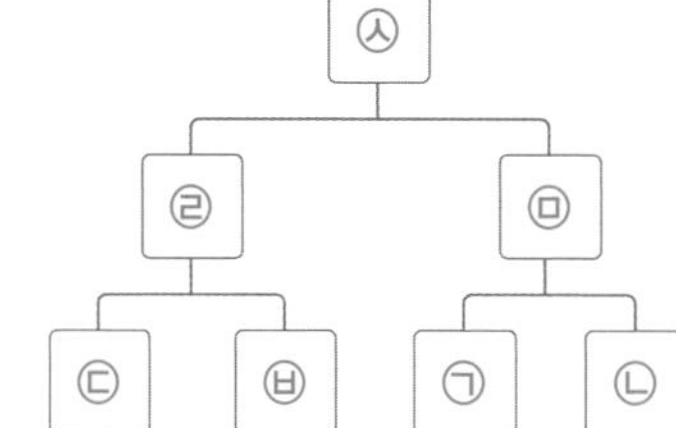

❺

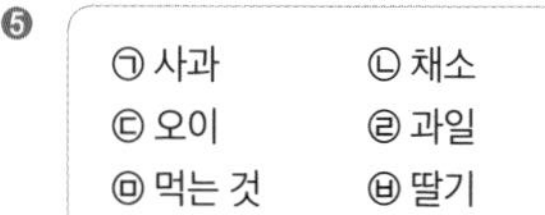

㉠ 사과 ㉡ 채소
㉢ 오이 ㉣ 과일
㉤ 먹는 것 ㉥ 딸기
㉦ 배추

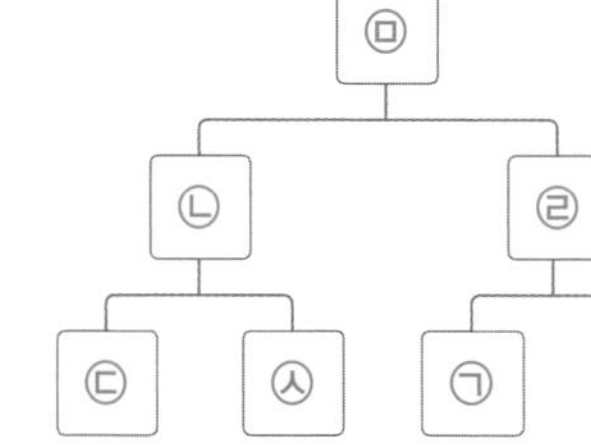

DAY 4

매트릭스

기준에 따라 매트릭스로 분류한 것입니다. 잘못 분류된 것을 모두 찾아 ×표 하세요.

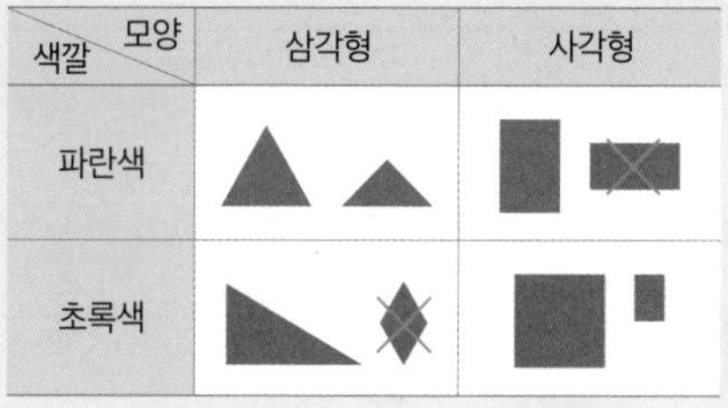

색깔＼모양	삼각형	사각형
파란색		
초록색		

두 가지 분류 기준을 모두 만족하도록 알맞게 매트릭스를 완성합니다.

파란색과 사각형이 만나는 칸에는 파란색 사각형만 들어갈 수 있어.

❶

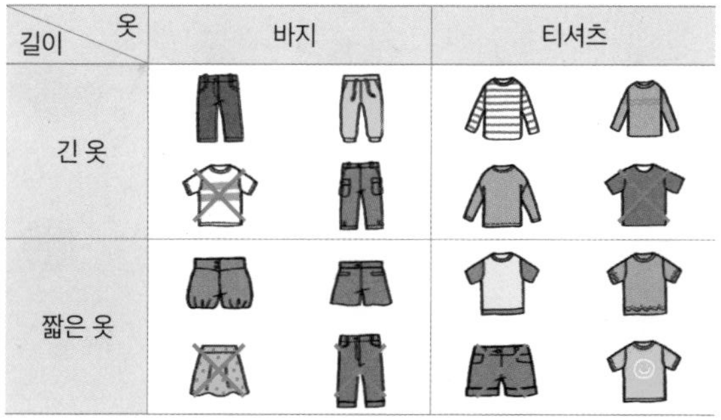

길이＼옷	바지	티셔츠
긴 옷		
짧은 옷		

❷

	땅 위에 사는 동물입니다.		물속에 사는 동물입니다.	
집에서 키우기 좋습니다.	개	고양이	금붕어	거북이
	소	사자	돼지	고래
집에서 키우기 힘듭니다.	늑대	호랑이	박쥐	돌고래
	오징어	기린	상어	치타

❸

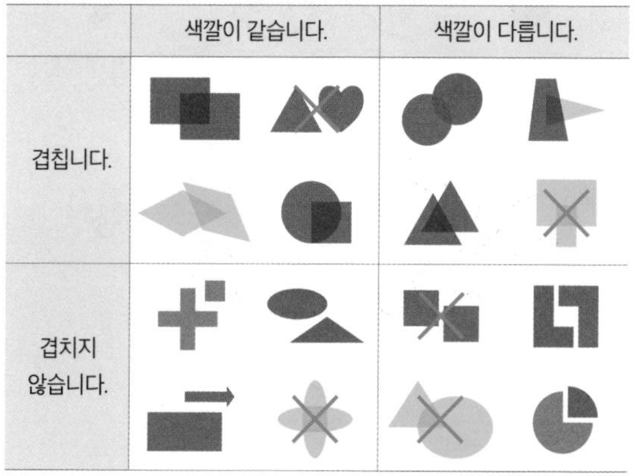

	색깔이 같습니다.	색깔이 다릅니다.
겹칩니다.		
겹치지 않습니다.		

DAY 5 벤다이어그램

다음 벤다이어그램의 색칠한 곳에 들어가는 모양에 모두 ○표 하세요.

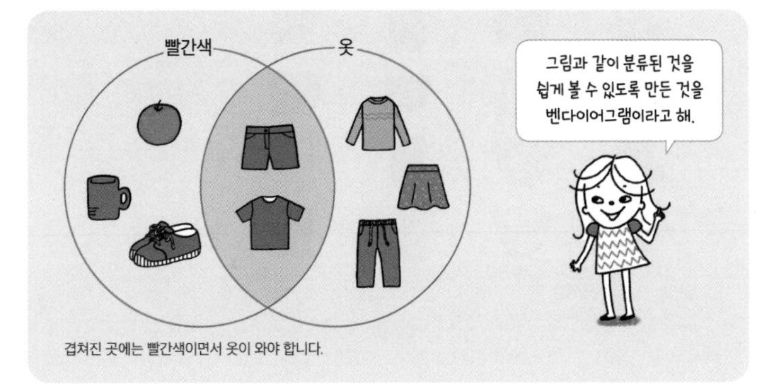

빨간색
옷
그림과 같이 분류된 것을 쉽게 볼 수 있도록 만든 것을 벤다이어그램이라고 해.
겹쳐진 곳에는 빨간색이면서 옷이 와야 합니다.

❶

○모양입니다. 먹을 수 있습니다.

❷

하늘을 날 수 있습니다. 동물입니다.

❸

선으로 둘러싸여 있습니다. 곧은 선만 있습니다.

2 주차

확인학습

기준에 따라 매트릭스로 분류한 것입니다. 잘못 분류된 것을 모두 찾아 ×표 하세요.

❶

	모양이 같습니다.	모양이 다릅니다.
겹칩니다.		
겹치지 않습니다.		

다음 벤다이어그램의 색칠한 곳에 들어가는 모양에 모두 ○표 하세요.

❷

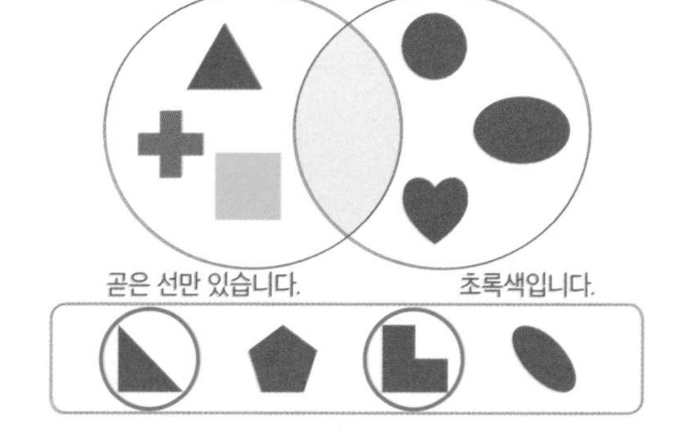

DAY 1 도형 유추

pensées

관계를 보고 빈 곳에 알맞은 도형을 그려 보세요.

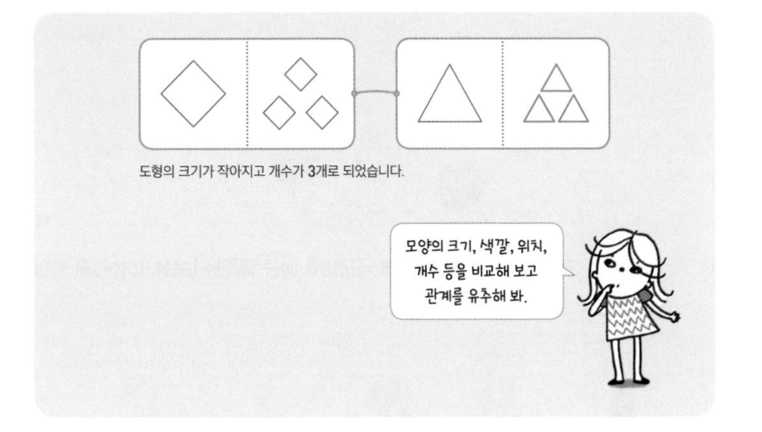

모양의 크기, 색깔, 위치,
개수 등을 비교해 보고
관계를 유추해 봐.

도형의 크기가 작아지고 개수가 3개로 되었습니다.

❶

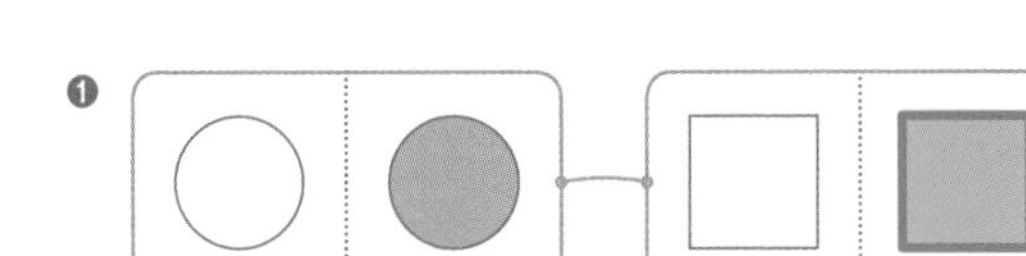

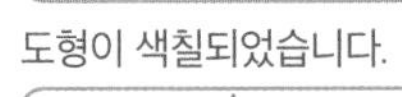

도형이 색칠되었습니다.

❷

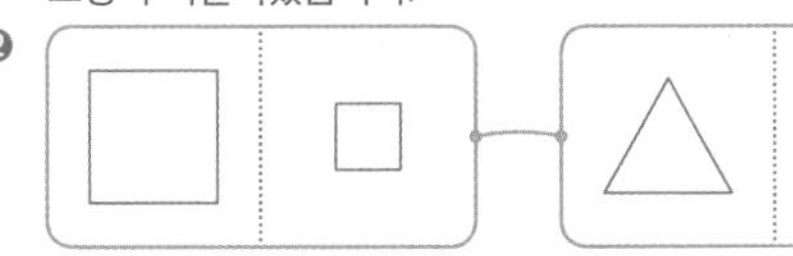

도형이 작아졌습니다.

❸

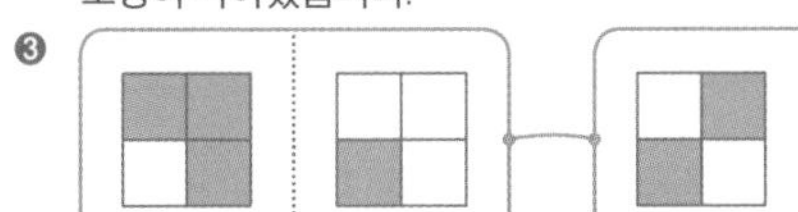

색이 반전되었습니다.

❹

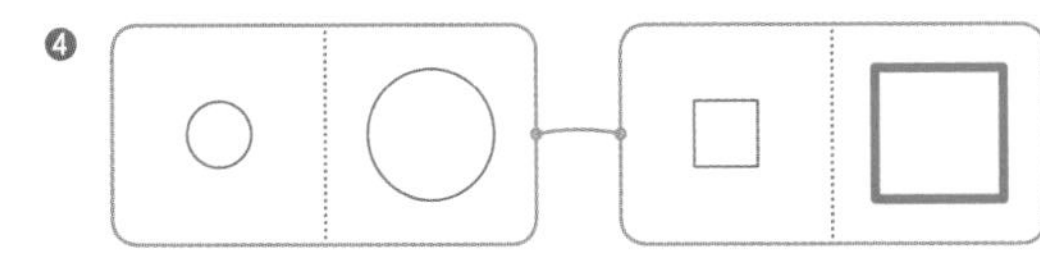

도형이 커졌습니다.

❺

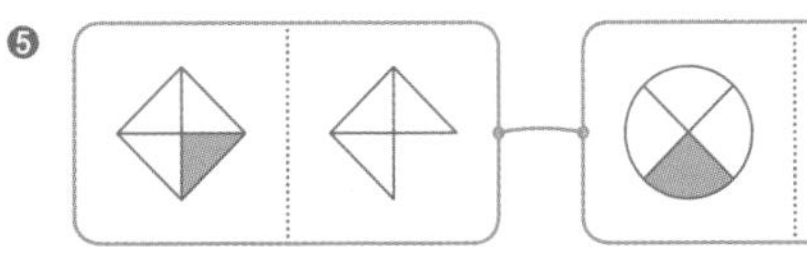

색칠된 부분이 없어졌습니다.

❻

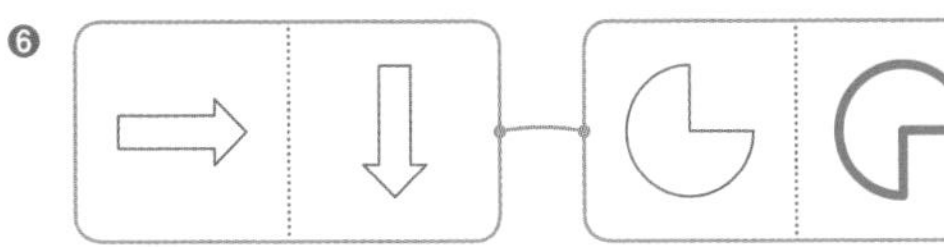

시계 방향으로 반의 반 바퀴만큼 회전하였습니다.

❼

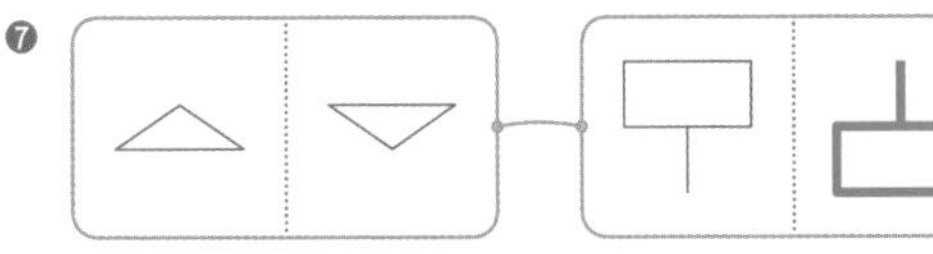

도형의 위아래가 바뀌었습니다.

❽

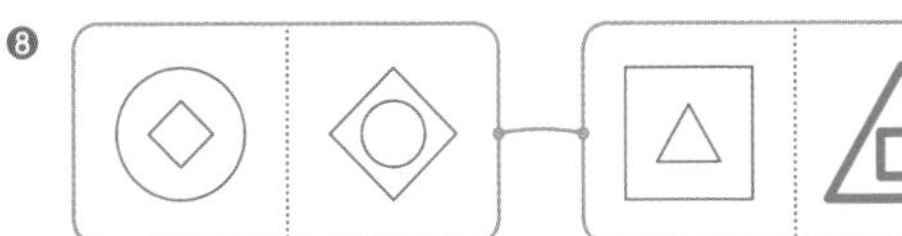

안과 밖에 있는 도형이 서로 바뀌었습니다.

도형 관계 추론

✐ 관계를 보고 빈 곳에 알맞은 그림을 그려 보세요.

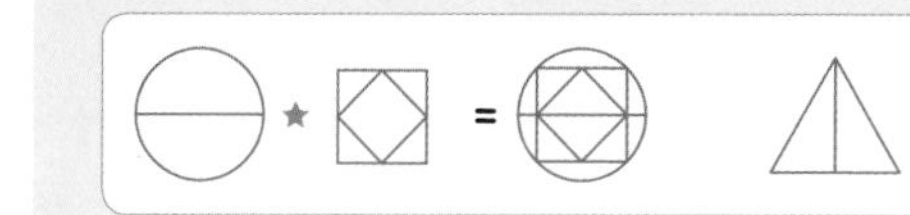

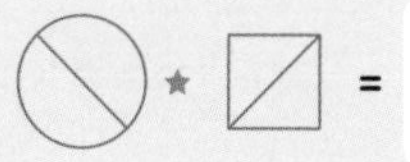

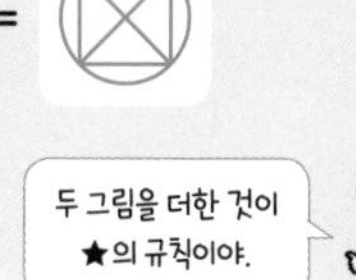

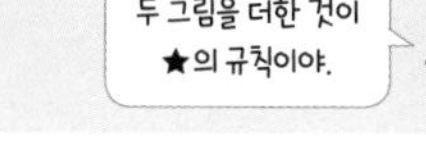

❶

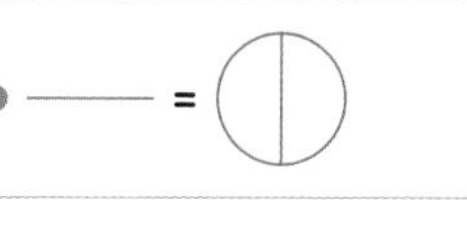

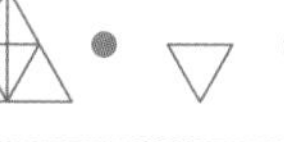

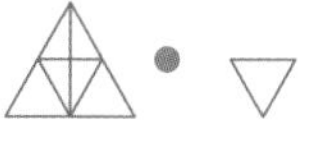

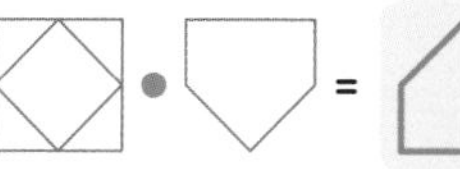

●의 규칙은 왼쪽 그림에서 오른쪽 그림을 뺀 것입니다.

❷

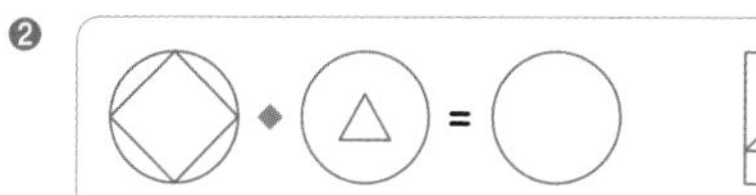

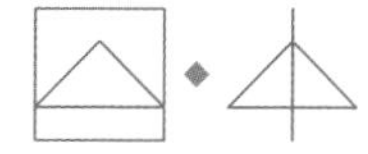

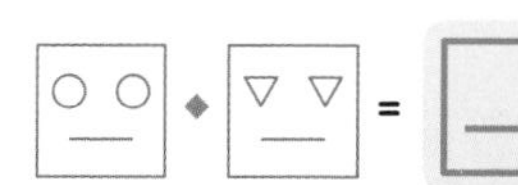

◆의 규칙은 왼쪽 그림과 오른쪽 그림에 모두 있는 것만을 그린 것입니다.

❸

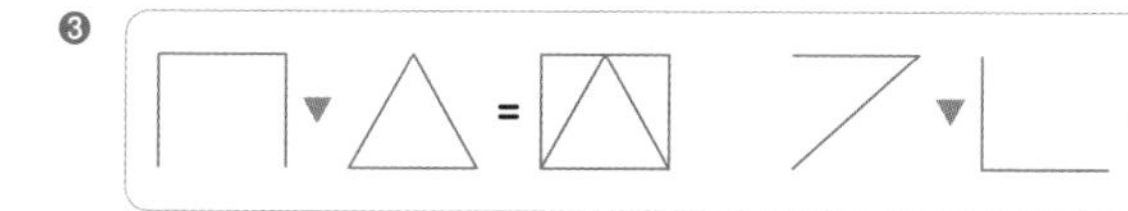

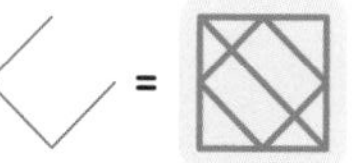

▼의 규칙은 왼쪽 그림과 오른쪽 그림을 더한 것입니다.

❹

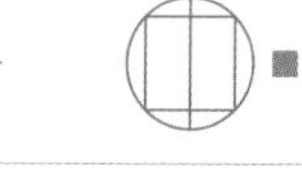

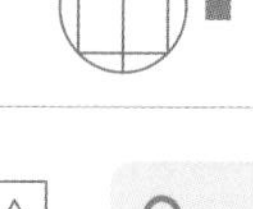

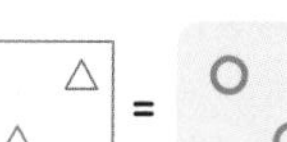

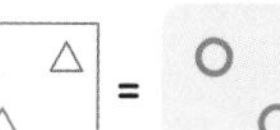

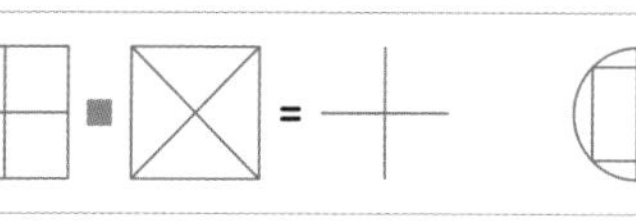

■의 규칙은 왼쪽 그림에는 있고, 오른쪽 그림에는 없는 것을 그린 것입니다.

❺

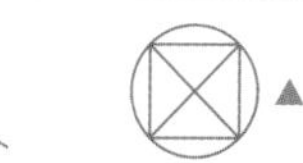

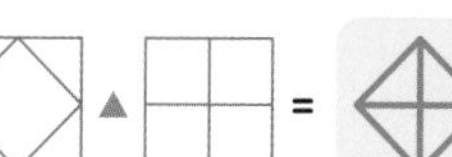

▲의 규칙은 왼쪽 그림과 오른쪽 그림 중 한 번만 있는 것을 그린 것입니다.

DAY 3 수 관계 추론

✎ 관계를 보고 빈 곳에 알맞은 수를 써넣으세요.

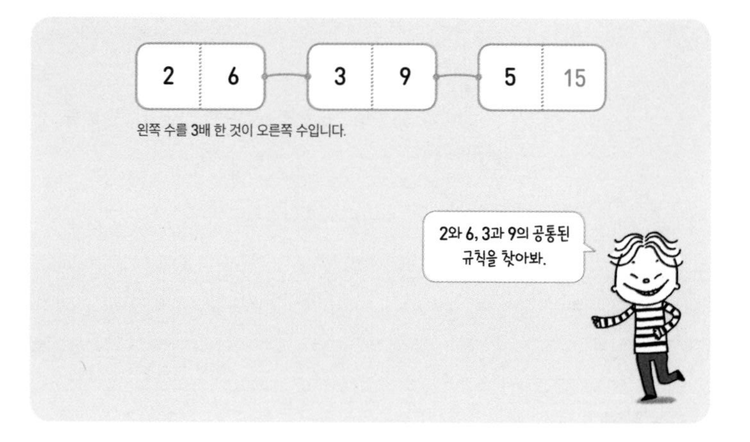
2 6
3 9
5 15
왼쪽 수를 3배 한 것이 오른쪽 수입니다.
2와 6, 3과 9의 공통된 규칙을 찾아봐.

❶ 1 4 — 2 5 — 7 10 — 10 13

왼쪽 수에 3을 더한 것이 오른쪽 수입니다.

❷ 
8 6 — 5 3 — 4 2 — 12 10

왼쪽 수에서 2를 뺀 것이 오른쪽 수입니다.

❸ 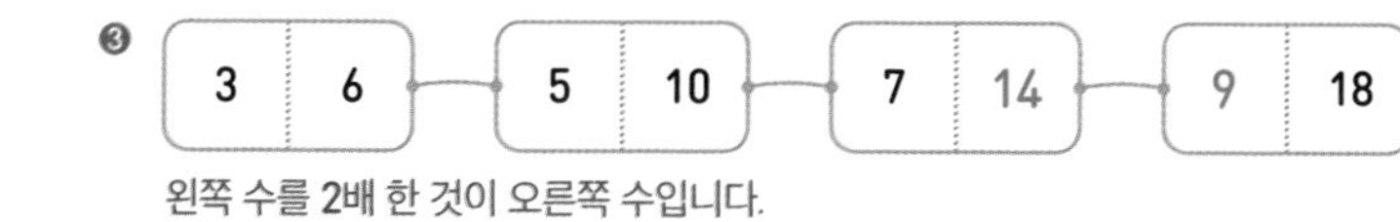
3 6 — 5 10 — 7 14 — 9 18

왼쪽 수를 2배 한 것이 오른쪽 수입니다.

❹ 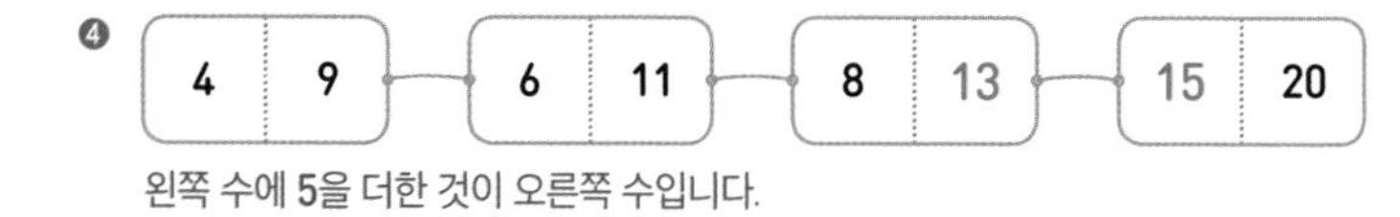
4 9 — 6 11 — 8 13 — 15 20

왼쪽 수에 5를 더한 것이 오른쪽 수입니다.

❺ 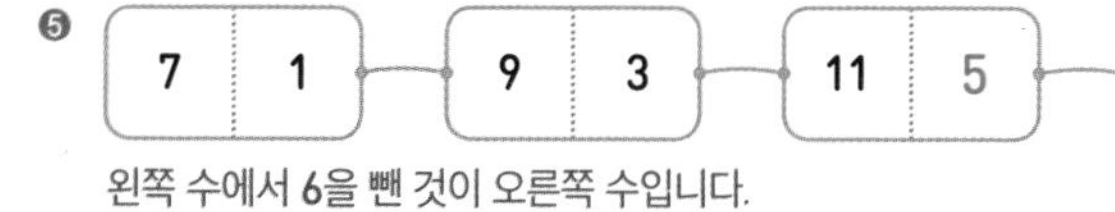
7 1 — 9 3 — 11 5 — 17 11

왼쪽 수에서 6을 뺀 것이 오른쪽 수입니다.

❻ 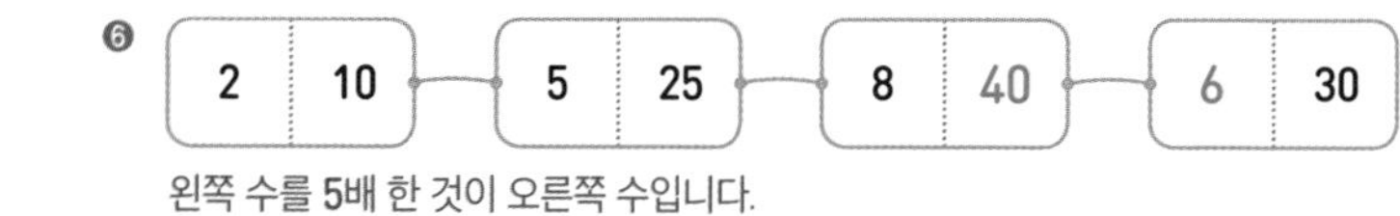
2 10 — 5 25 — 8 40 — 6 30

왼쪽 수를 5배 한 것이 오른쪽 수입니다.

❼ 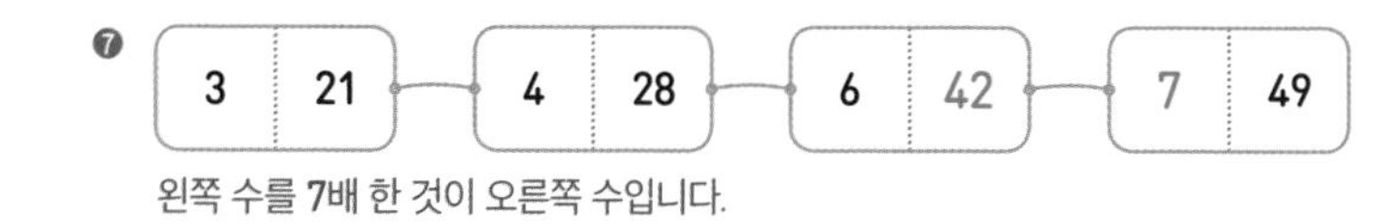
3 21 — 4 28 — 6 42 — 7 49

왼쪽 수를 7배 한 것이 오른쪽 수입니다.

❽ 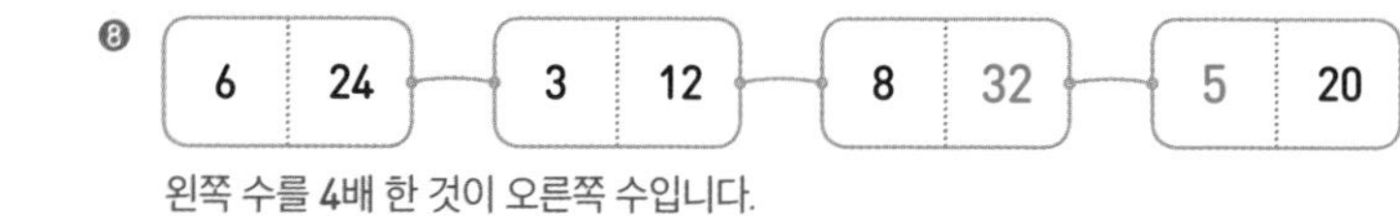
6 24 — 3 12 — 8 32 — 5 20

왼쪽 수를 4배 한 것이 오른쪽 수입니다.

❾ 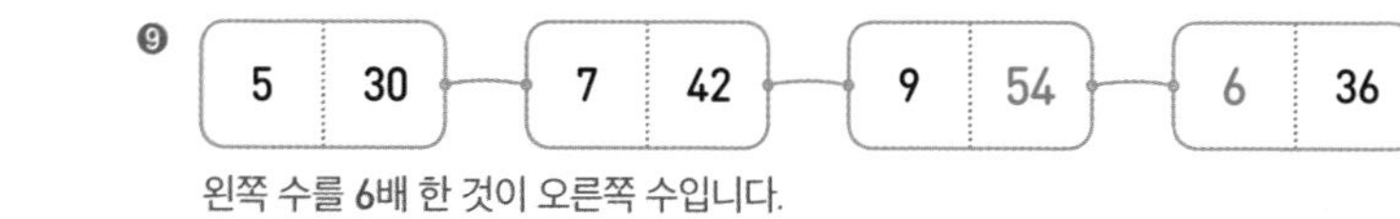
5 30 — 7 42 — 9 54 — 6 36

왼쪽 수를 6배 한 것이 오른쪽 수입니다.

DAY 4

매트릭스 유추 (1)

규칙에 맞게 빈 곳에 알맞은 그림을 그리거나 색칠해 보세요.

- **가로**: 오른쪽으로 갈수록 한 개씩 늘어납니다.
- **세로**: 아래로 갈수록 커집니다.

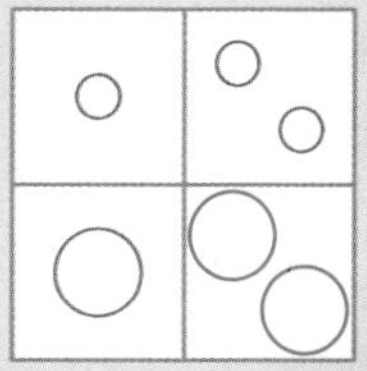

규칙에 맞게 그리기만 하면 끝!

❶

- **가로**: 오른쪽으로 갈수록 세로로 한 줄씩 늘어납니다.
- **세로**: 아래쪽으로 갈수록 가로로 한 줄씩 늘어납니다.

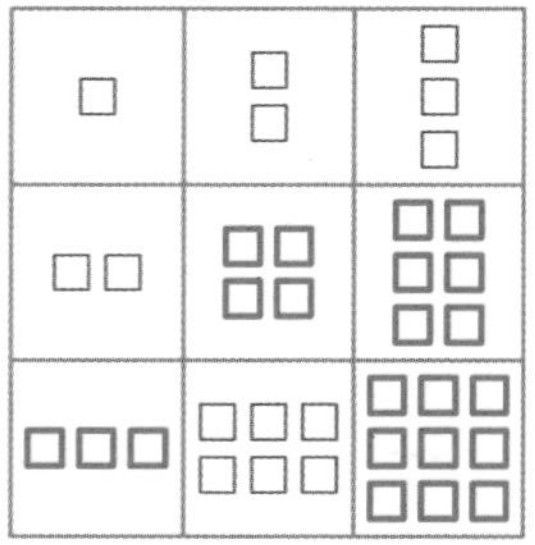

❷

- **가로**: 오른쪽으로 갈수록 색칠된 칸이 시계 방향으로 한 칸씩 이동합니다.
- **세로**: 아래쪽으로 갈수록 색칠된 칸이 시계 방향으로 한 칸씩 늘어납니다.

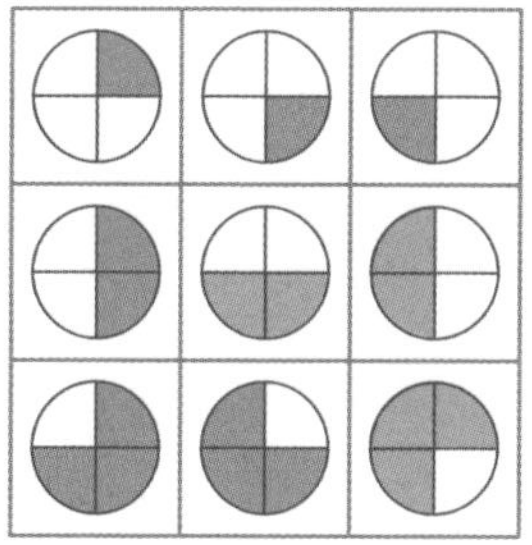

❸

- **가로**: 오른쪽으로 갈수록 도형의 변의 개수가 한 개씩 늘어납니다.
- **세로**: 아래쪽으로 갈수록 도형이 한 개씩 늘어납니다.

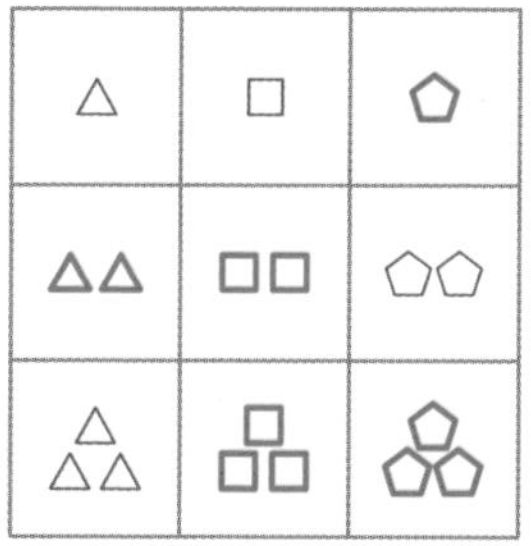

3주차 유비추론

DAY 5 매트릭스 유추 (2)

pensées

✎ 규칙을 찾아 빈 곳에 알맞은 그림을 그리거나 색칠해 보세요.

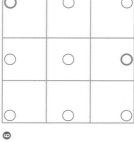

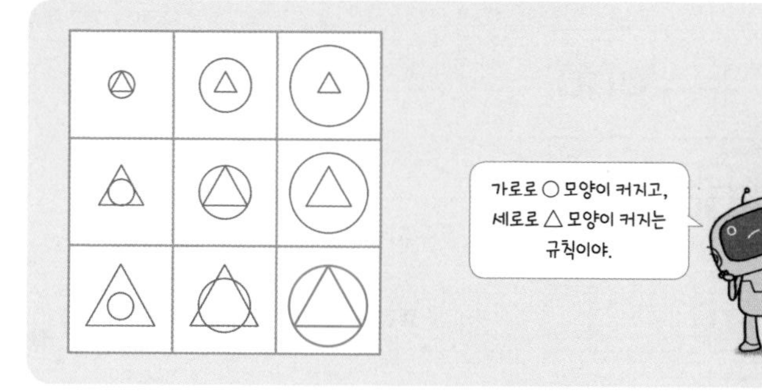

가로로 ○ 모양이 커지고,
세로로 △ 모양이 커지는
규칙이야.

❶

오른쪽으로 갈수록 도형의 개수가 한 개씩 늘어납니다.

❷

오른쪽으로 갈수록 시계 방향으로 반의 반 바퀴만큼 회전합니다.

❸

오른쪽으로 갈수록 색칠된 칸이 시계 방향으로 한 칸만큼 회전하고, 아래쪽으로 갈수록 색칠된 칸이 시계 반대 방향으로 한 칸만큼 회전합니다.

❹

오른쪽으로 갈수록 시계 방향으로 반의 반 바퀴만큼 회전하고, 아래쪽으로 갈수록 도형의 개수가 한 개씩 늘어납니다.

❺

오른쪽으로 갈수록 세로줄이 한 개씩 늘어나고, 아래쪽으로 갈수록 가로줄이 한 개씩 늘어납니다.

❻

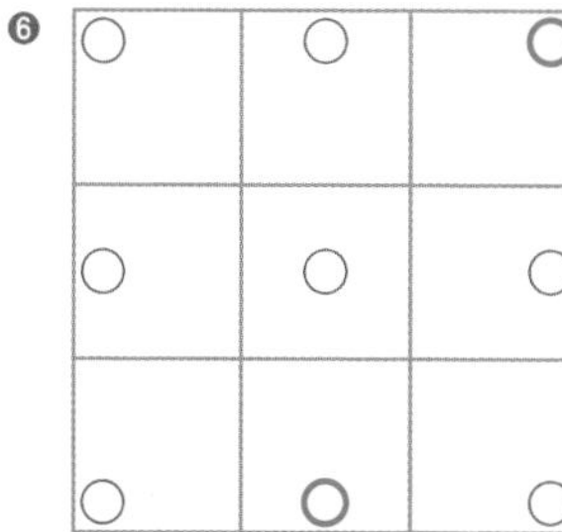

오른쪽으로 갈수록 ○가 오른쪽으로 이동하고, 아래쪽으로 갈수록 ○가 아래쪽으로 이동합니다.

3 주차 확인학습

✐ 관계를 보고 빈 곳에 알맞은 수를 써넣으세요.

❶

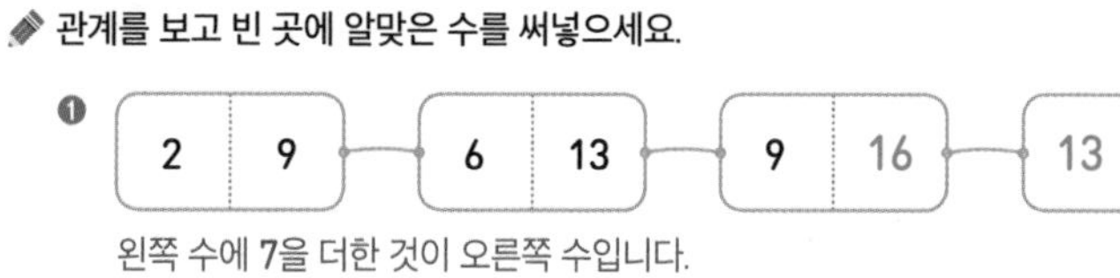

2	9	6	13	9	16	13	20

왼쪽 수에 7을 더한 것이 오른쪽 수입니다.

❷

4	12	6	18	8	24	9	27

왼쪽 수를 3배 한 것이 오른쪽 수입니다.

❸

3	24	5	40	7	56	8	64

왼쪽 수를 8배 한 것이 오른쪽 수입니다.

✐ 규칙을 찾아 빈 곳에 알맞은 그림을 그리거나 색칠해 보세요.

❹

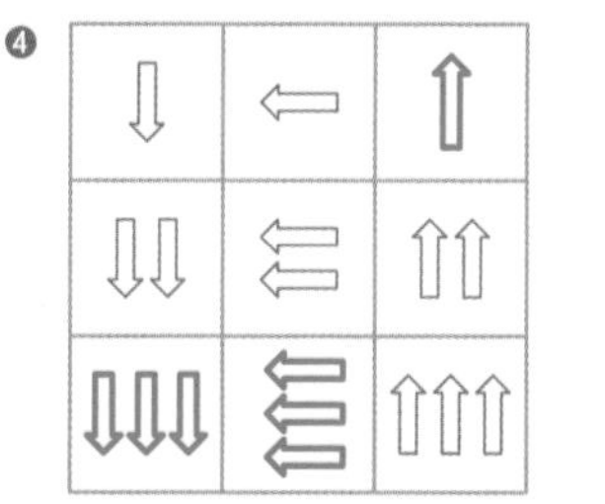

오른쪽으로 갈수록 시계 방향으로 반의 반 바퀴만큼 회전하고, 아래쪽으로 갈수록 도형이 한 개씩 늘어납니다.

❺

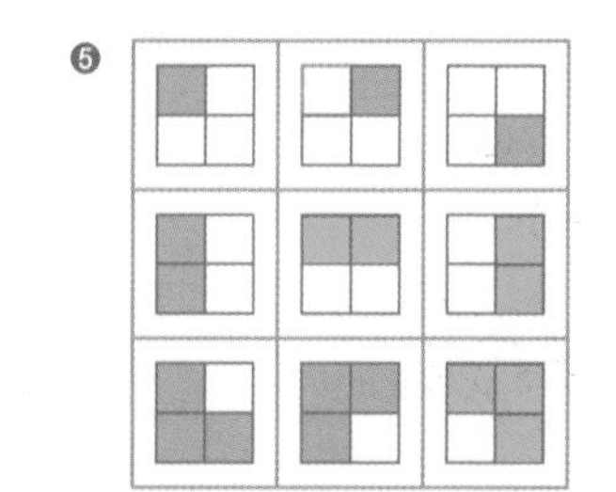

오른쪽으로 갈수록 색칠된 칸이 시계 방향으로 한 칸씩 이동하고, 아래쪽으로 갈수록 시계 반대 방향으로 한 칸씩 더 색칠합니다.

4주차 연산 약속

DAY 1 한 수 연산 약속

pensées

연산 기호의 규칙을 찾아 □ 안에 알맞은 수를 구해 보세요.

1 —★→ 2
2 —★→ 4
3 —★→ 6
5 —★→ 10

왼쪽 수의 2배가 오른쪽 수인 규칙이야.

❶
2 —●→ 5
4 —●→ 7
5 —●→ 8
8 —●→ 11

왼쪽 수보다 3 큰 수가 오른쪽 수입니다.

❷
6 —◆→ 2
7 —◆→ 3
10 —◆→ 6
13 —◆→ 9

왼쪽 수보다 4 작은 수가 오른쪽 수입니다.

❸
2 —■→ 6
3 —■→ 9
5 —■→ 15
6 —■→ 18

왼쪽 수의 3배가 오른쪽 수입니다.

❹
1 —▲→ 6
2 —▲→ 12
4 —▲→ 24
6 —▲→ 36

왼쪽 수의 6배가 오른쪽 수입니다.

❺
13 —☆→ 21
20 —☆→ 28
37 —☆→ 45
49 —☆→ 57

왼쪽 수보다 8 큰 수가 오른쪽 수입니다.

❻
4 —♡→ 17
10 —♡→ 23
48 —♡→ 61
79 —♡→ 92

왼쪽 수보다 13 큰 수가 오른쪽 수입니다.

❼
19 —○→ 12
30 —○→ 23
43 —○→ 36
61 —○→ 54

왼쪽 수보다 7 작은 수가 오른쪽 수입니다.

❽
16 —◇→ 2
20 —◇→ 6
27 —◇→ 13
42 —◇→ 28

왼쪽 수보다 14 작은 수가 오른쪽 수입니다.

❾
4 —□→ 16
5 —□→ 20
9 —□→ 36
8 —□→ 32

왼쪽 수의 4배가 오른쪽 수입니다.

❿
2 —△→ 14
3 —△→ 21
8 —△→ 56
7 —△→ 49

왼쪽 수의 7배가 오른쪽 수입니다.

DAY 2

두 수 연산 약속

✎ 연산 기호의 규칙을 찾아 선으로 이어 보세요.

❶
1★4=5
2★5=11
3★7=22

❷
3●2=23
1●4=41
9●1=19

❸
2◆3=10
4◆5=18
6◆1=14

❹
3■7=7
4■9=9
6■2=6

❺
9▲1=7
8▲3=2
13▲4=5

- 왼쪽 수는 일의 자리 숫자, 오른쪽 수는 십의 자리 숫자입니다.
- 두 수의 합을 2배 한 수입니다.
- 두 수의 곱에 1을 더한 수입니다.
- 왼쪽 수에서 오른쪽 수를 두 번 뺀 수입니다.
- 두 수 중 더 큰 수입니다.

❻
2★4 = 3
1★7 = 4
4★8 = 6

❼
2●3=2
3●7=3
4●1=1

❽
3◆2=15
4◆5=27
6◆1=21

❾
5■2=73
7■1=86
6■3=93

❿
4▲2=6
7▲3=18
5▲6=24

- 두 수의 합을 3배 한 수입니다.
- 두 수 중 더 작은 수입니다.
- 두 수의 곱에서 오른쪽 수를 뺀 수입니다.
- 두 수의 합의 반입니다.
- 두 수의 합이 십의 자리 숫자, 차가 일의 자리 숫자입니다.

4주차 연산 약속

DAY 3 잘못된 약속

✎ 연산 기호의 규칙에 맞게 답을 적었습니다. 답이 잘못된 식 하나를 찾아 ×표 하세요.

5★4=4	1★6=1	5★4=5 (×)
4★2=2	8★7=7	6★3=3

두 수 중 작은 수입니다.

두 수의 크기를 비교해 보면
★의 규칙을 알 수 있을 거야.

❶

3●1=31	2●5=25	1●4=14
7●7=77	8●2=82	2●3=32 (×)

왼쪽 수는 십의 자리 숫자, 오른쪽 수는 일의 자리 숫자입니다.

❷

7■2=16	2■5=12	4■3=13 (×)
6■1=8	3■7=23	6■3=20

두 수의 곱에 2를 더한 수입니다.

pensées

❸

2⊙4=3	5⊙9=7	1⊙7=4
8⊙2=5	7⊙5=6	9⊙3=7 (×)

두 수의 합의 반입니다.

❹

7▼4=10	2▼5=6	6▼1=6
4▼9=13 (×)	3▼5=7	8▼2=9

두 수의 합에서 1을 뺀 수입니다.

❺

1▣4=3	5▣2=9	7▣4=27
4▣6=23	8▣5=35 (×)	9▣2=17

두 수의 곱에서 1을 뺀 수입니다.

❻

3◈4=14	7◈2=18	5◈3=16
3◈2=10	4◈5=16 (×)	2◈4=12

두 수의 합을 2배 한 수입니다.

삼각 연산 약속

✎ 규칙을 찾아 빈 곳에 알맞은 수를 써넣으세요.

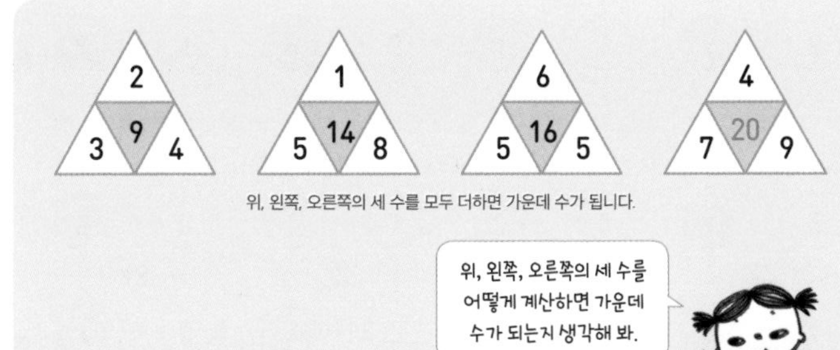

2 / 3, 9, 4 | 1 / 5, 14, 8 | 6 / 5, 16, 5 | 4 / 7, 20, 9

위, 왼쪽, 오른쪽의 세 수를 모두 더하면 가운데 수가 됩니다.

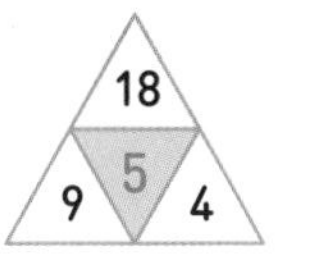

위, 왼쪽, 오른쪽의 세 수를
어떻게 계산하면 가운데
수가 되는지 생각해 봐.

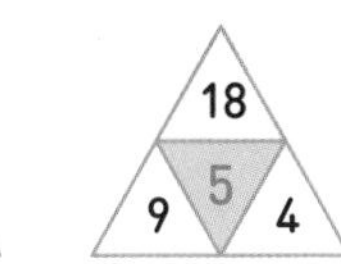

❶

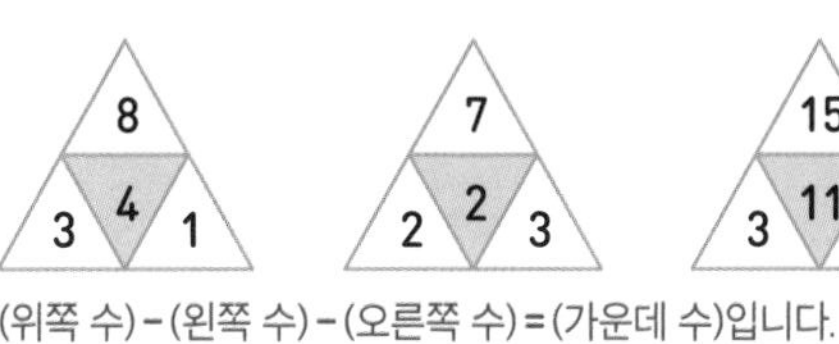

8 / 3, 4, 1 | 7 / 2, 2, 3 | 15 / 3, 11, 1 | 18 / 9, 5, 4

(위쪽 수) − (왼쪽 수) − (오른쪽 수) = (가운데 수)입니다.

❷

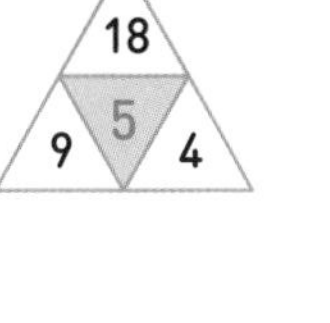
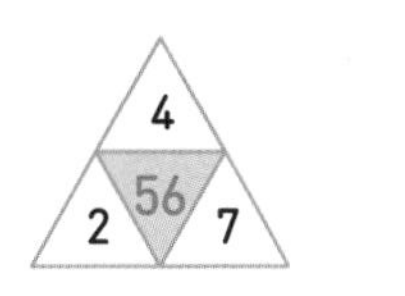

2 / 4, 24, 3 | 1 / 5, 45, 9 | 3 / 3, 54, 6 | 4 / 2, 56, 7

위, 왼쪽, 오른쪽의 세 수를 모두 곱하면 가운데 수가 됩니다.

❸

7 / 5, 7, 2 | 6 / 8, 8, 3 | 10 / 2, 10, 6 | 3 / 9, 9, 1

위, 왼쪽, 오른쪽의 세 수 중 가장 큰 수가 가운데 수가 됩니다.

❹

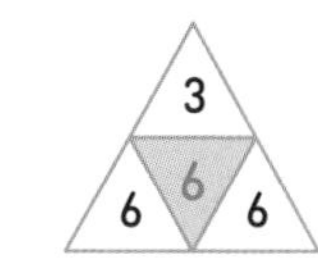

2 / 2, 2, 3 | 7 / 5, 7, 7 | 4 / 4, 4, 7 | 3 / 6, 6, 6

위, 왼쪽, 오른쪽의 세 수 중 똑같은 수가 가운데 수가 됩니다.

❺

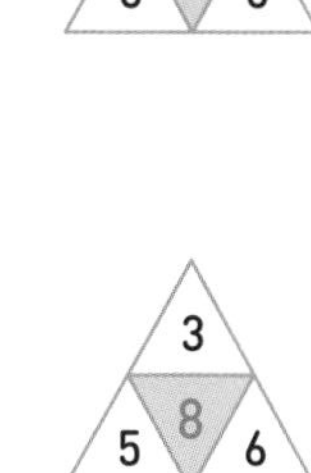

1 / 5, 8, 4 | 5 / 4, 2, 3 | 4 / 6, 4, 2 | 3 / 5, 8, 6

(왼쪽 수) + (오른쪽 수) − (위쪽 수) = (가운데 수)입니다.

❻

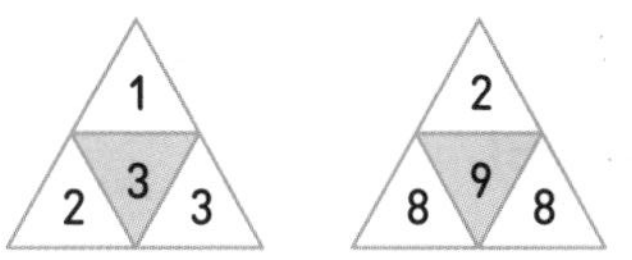
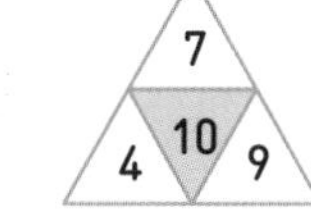
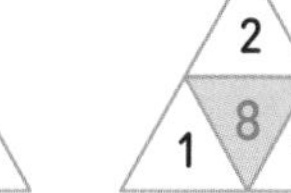

1 / 2, 3, 3 | 2 / 8, 9, 8 | 7 / 4, 10, 9 | 2 / 1, 8, 13

위, 왼쪽, 오른쪽의 세 수의 합의 반이 가운데 수가 됩니다.

DAY 5 사각 연산 약속

규칙을 찾아 빈 곳에 알맞은 수를 써넣으세요.

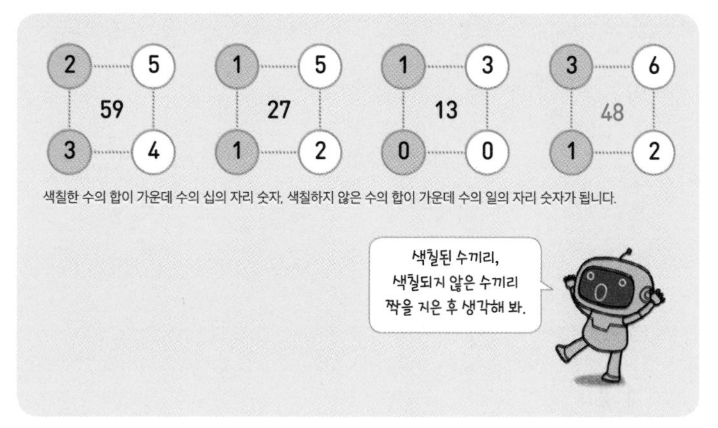

색칠한 수의 합이 가운데 수의 십의 자리 숫자, 색칠하지 않은 수의 합이 가운데 수의 일의 자리 숫자가 됩니다.

색칠된 수끼리,
색칠되지 않은 수끼리
짝을 지은 후 생각해 봐.

❶

7 5 / 43 / 3 2	5 3 / 42 / 1 1	8 6 / 36 / 5 0	7 4 / 32 / 4 2

색칠한 수의 차가 가운데 수의 십의 자리 숫자, 색칠하지 않은 수의 차가 가운데 수의 일의 자리 숫자가 됩니다.

❷

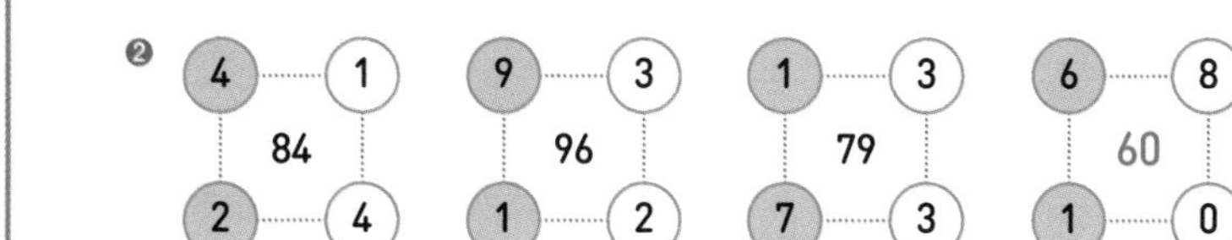

색칠한 수의 곱이 가운데 수의 십의 자리 숫자, 색칠하지 않은 수의 곱이 가운데 수의 일의 자리 숫자가 됩니다.

지금부터는 모두 색칠되어 있으니
네 수에서 규칙을 찾아봐.

❸

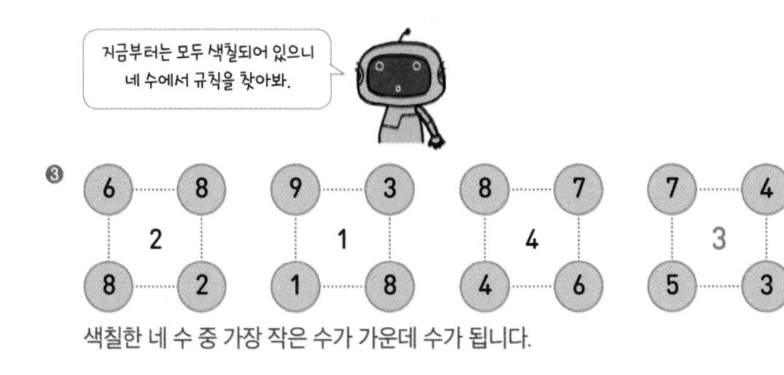

색칠한 네 수 중 가장 작은 수가 가운데 수가 됩니다.

❹

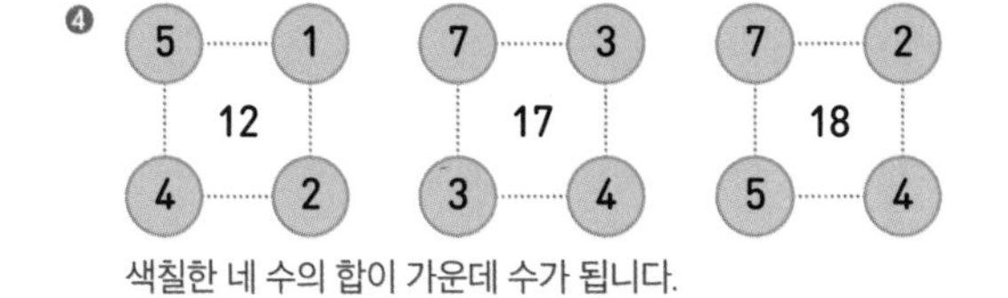

색칠한 네 수의 합이 가운데 수가 됩니다.

❺

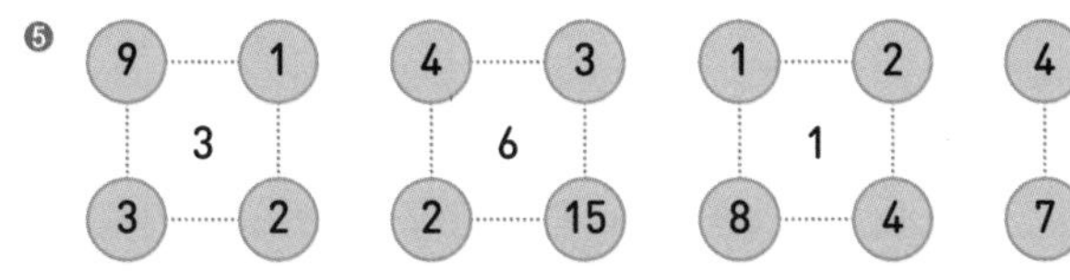

색칠한 네 수 중 가장 큰 수에서 다른 세 수를 뺀 수가 가운데 수가 됩니다.

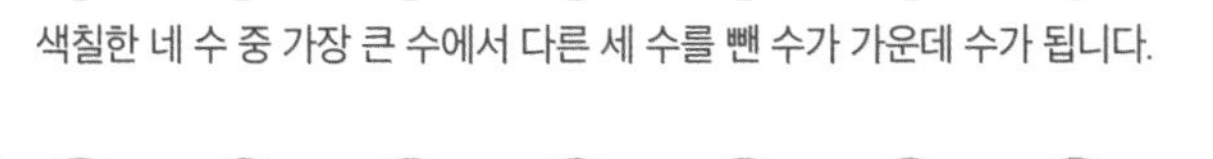

❻

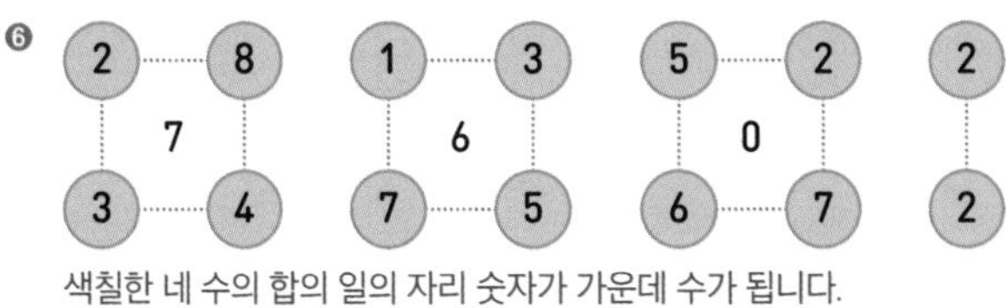

색칠한 네 수의 합의 일의 자리 숫자가 가운데 수가 됩니다.

4주차 확인학습

규칙을 찾아 빈 곳에 알맞은 수를 써넣으세요.

❶

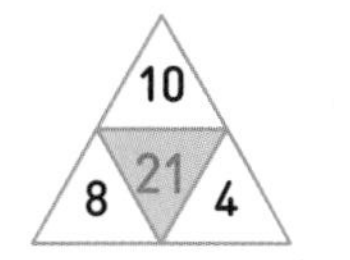

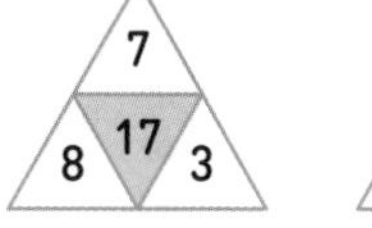

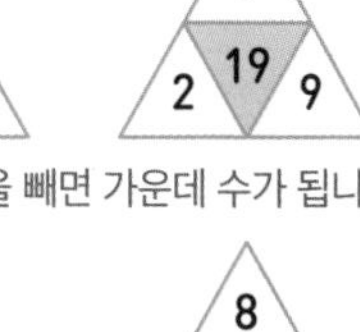

위, 왼쪽, 오른쪽의 세 수의 합에서 1을 빼면 가운데 수가 됩니다.

❷

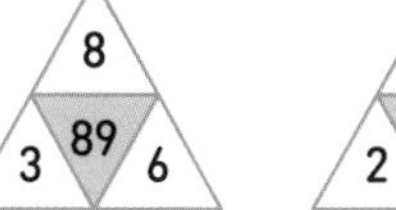

위쪽의 수가 가운데 수의 십의 자리 숫자, 왼쪽과 오른쪽의 두 수의 합이 가운데 수의 일의 자리 숫자입니다.

규칙을 찾아 빈 곳에 알맞은 수를 써넣으세요.

❸

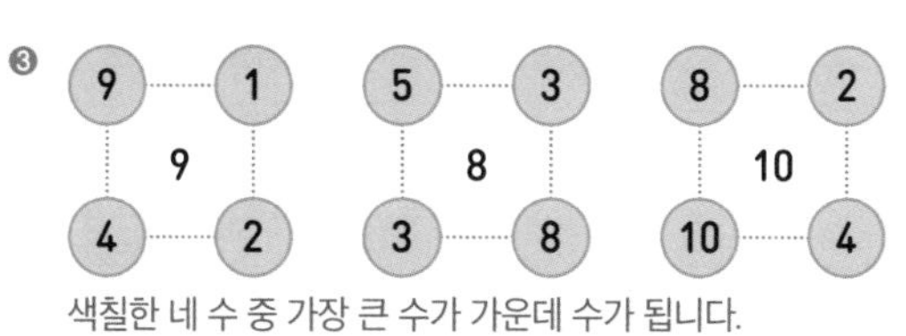

색칠한 네 수 중 가장 큰 수가 가운데 수가 됩니다.

❹

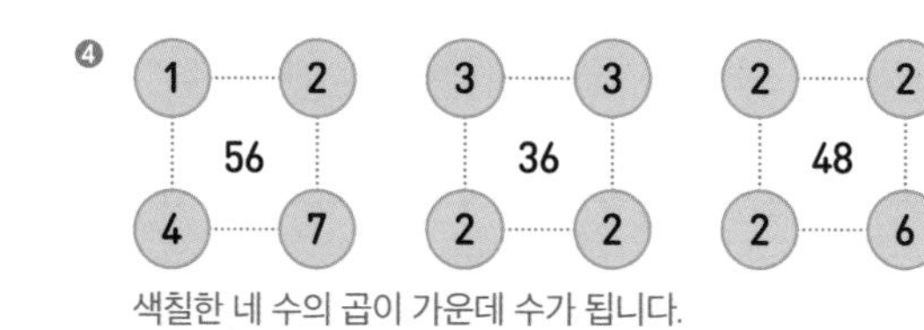

색칠한 네 수의 곱이 가운데 수가 됩니다.

마무리 평가

TEST 1 마무리 평가

제한 시간 15분
맞은 개수 / 8개

✤ 기준에 따라 왼쪽 그림과 오른쪽 그림으로 나누었습니다. 기준을 찾아 선으로 이어 보세요.

❶ ❷

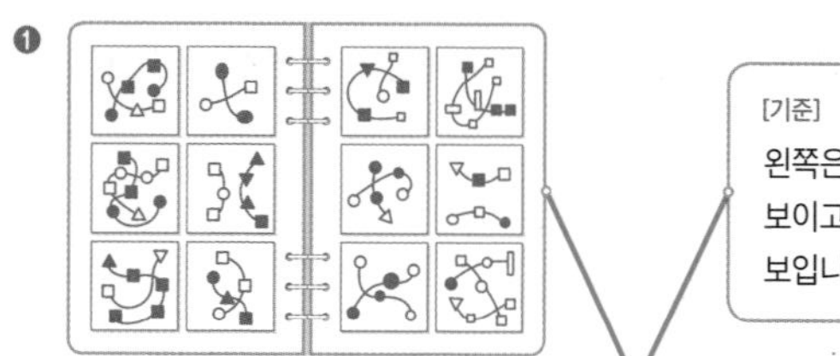

[기준]
왼쪽은 삼각형과 사각형이 보이고, 오른쪽은 삼각형만 보입니다.

[기준]
왼쪽은 같은 색깔끼리 선으로 이었고, 오른쪽 그림은 그렇지 않습니다.

✤ 기준에 따라 매트릭스로 분류한 것입니다. 잘못 분류된 것을 모두 찾아 ×표 하세요.

❸

색깔 \ 모양	삼각형	사각형
초록색		
빨간색		

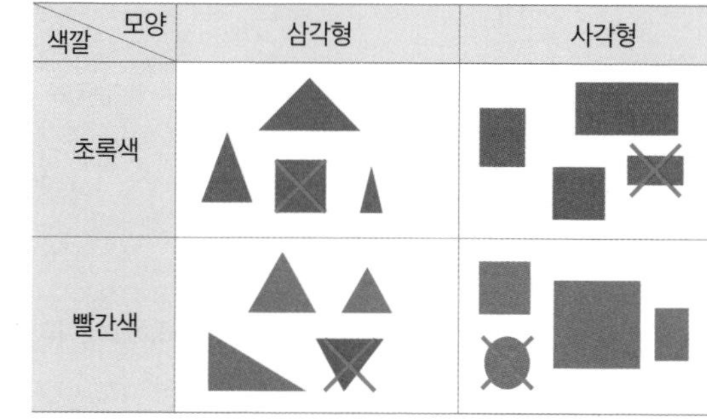

✤ 관계를 보고 빈 곳에 알맞은 수를 써넣으세요.

❹ 3 | 12 — 7 | 16 — 8 | 17 — 6 | 15

왼쪽 수에 9를 더한 것이 오른쪽 수입니다.

❺ 2 | 8 — 5 | 20 — 9 | 36 — 4 | 16

왼쪽 수를 4배 한 것이 오른쪽 수입니다.

❻ 1 | 7 — 4 | 28 — 6 | 42 — 9 | 63

왼쪽 수를 7배 한 것이 오른쪽 수입니다.

✤ 규칙을 찾아 빈 곳에 알맞은 수를 써넣으세요.

❼

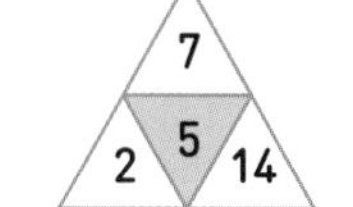
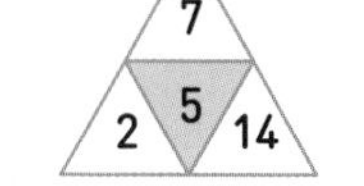
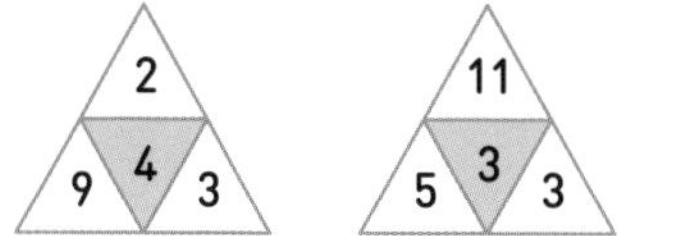
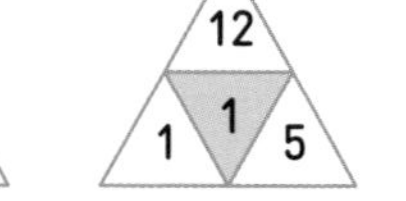
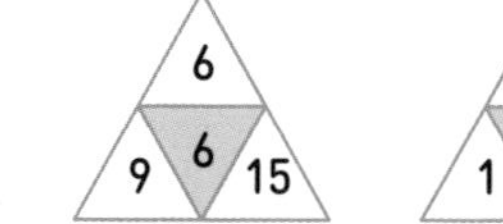
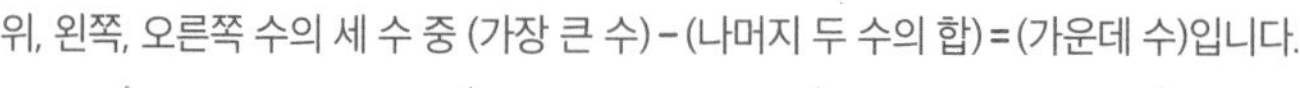

(위 2, 왼쪽 9, 오른쪽 3, 가운데 4) (위 11, 왼쪽 5, 오른쪽 3, 가운데 3) (위 7, 왼쪽 2, 오른쪽 14, 가운데 5) (위 18, 왼쪽 8, 오른쪽 3, 가운데 7)

위, 왼쪽, 오른쪽 수의 세 수 중 (가장 큰 수) − (나머지 두 수의 합) = (가운데 수)입니다.

❽ (위 4, 왼쪽 2, 오른쪽 7, 가운데 2) (위 6, 왼쪽 9, 오른쪽 15, 가운데 6) (위 12, 왼쪽 1, 오른쪽 5, 가운데 1) (위 7, 왼쪽 8, 오른쪽 11, 가운데 7)

위, 왼쪽, 오른쪽 수의 세 수 중 가장 작은 수가 가운데 수가 됩니다.

TEST 2 마무리 평가

pensées
제한 시간 15분
맞은 개수 / 7개

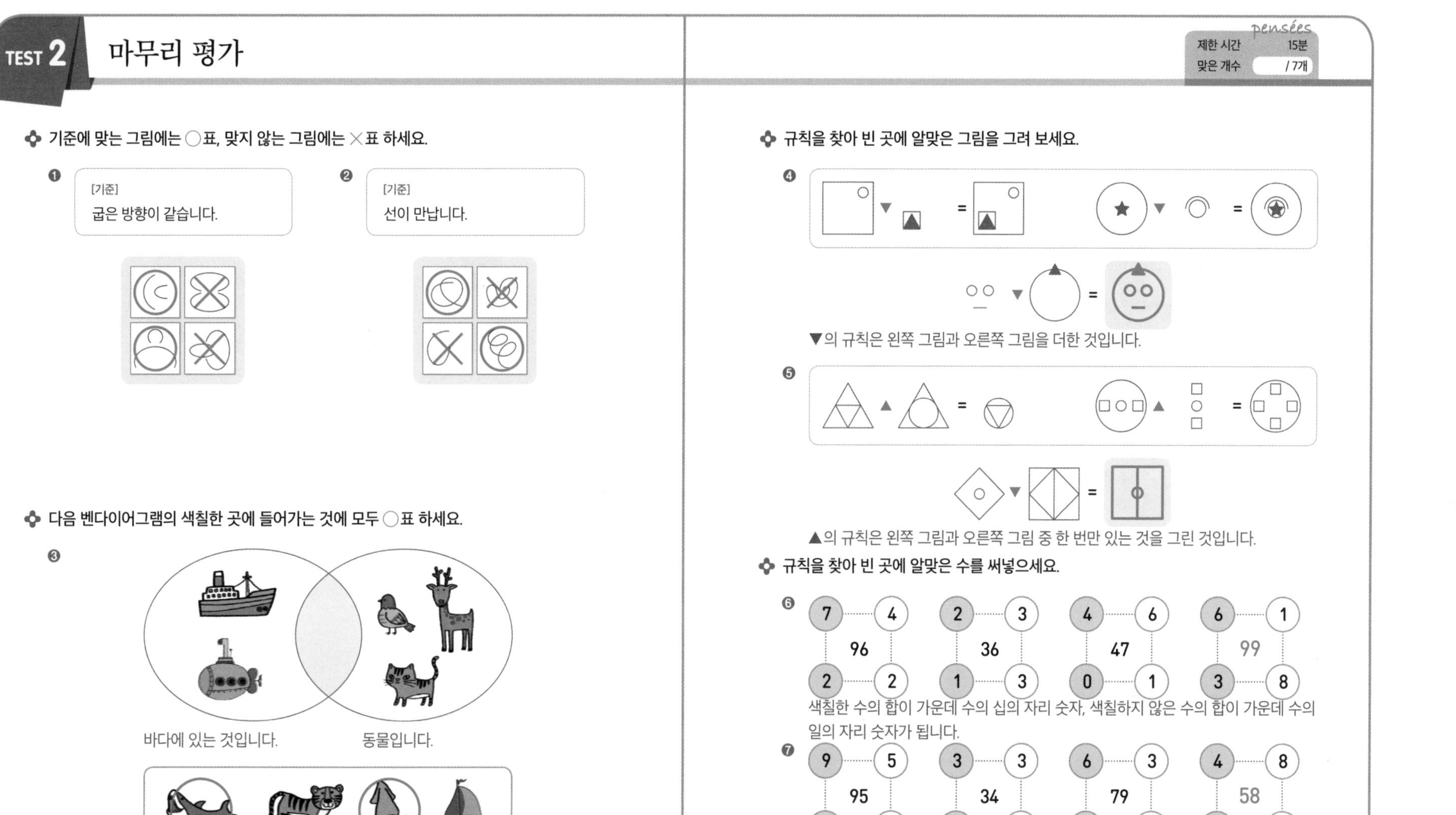

✤ 기준에 맞는 그림에는 ○표, 맞지 않는 그림에는 ×표 하세요.

❶ [기준] 굽은 방향이 같습니다.

❷ [기준] 선이 만납니다.

✤ 다음 벤다이어그램의 색칠한 곳에 들어가는 것에 모두 ○표 하세요.

❸

✤ 규칙을 찾아 빈 곳에 알맞은 그림을 그려 보세요.

❹

▼의 규칙은 왼쪽 그림과 오른쪽 그림을 더한 것입니다.

❺

▲의 규칙은 왼쪽 그림과 오른쪽 그림 중 한 번만 있는 것을 그린 것입니다.

✤ 규칙을 찾아 빈 곳에 알맞은 수를 써넣으세요.

❻

색칠한 수의 합이 가운데 수의 십의 자리 숫자, 색칠하지 않은 수의 합이 가운데 수의 일의 자리 숫자가 됩니다.

❼

색칠한 수 중 큰 수가 가운데 수의 십의 자리 숫자, 색칠하지 않은 수 중 큰 수가 가운데 수의 일의 자리 숫자가 됩니다.

마무리 평가

TEST 3 마무리 평가

✤ 기준에 따라 주어진 그림을 왼쪽과 오른쪽으로 나누어 보세요.

❶ [기준]
똑같은 모양으로 나누었으면 왼쪽, 아니면 오른쪽에 놓습니다.

㉠ ㉡ ㉢ ㉣ ㉤ ㉥ ㉦ ㉧

왼쪽		오른쪽	
㉡	㉢	㉠	㉣
㉦	㉧	㉤	㉥

✤ 다음 모양을 여러 기준에 따라 분류해 보세요.

㉠ ㉡ ㉢ ㉣ ㉤ ㉥ ㉦ ㉧

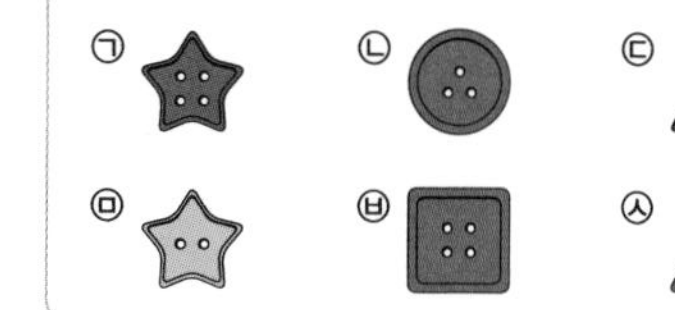

❷

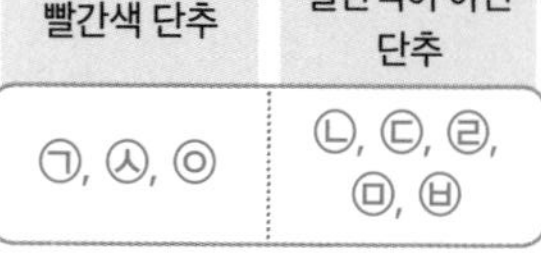

빨간색 단추	빨간색이 아닌 단추
㉠, ㉦, ㉧	㉡, ㉢, ㉣, ㉤, ㉥

❸

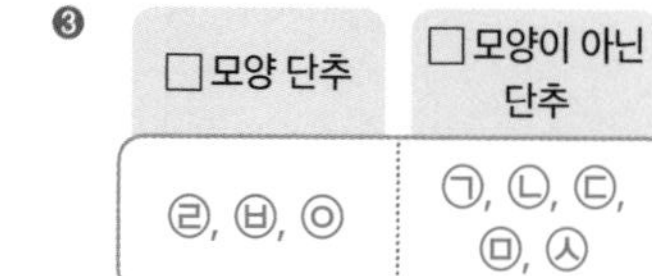

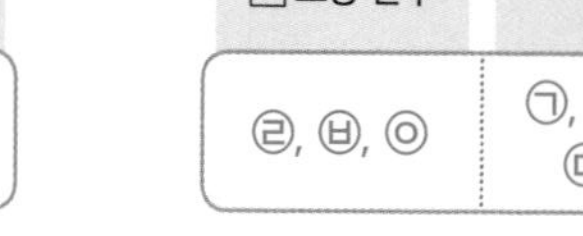

□모양 단추	□모양이 아닌 단추
㉣, ㉥, ㉧	㉠, ㉡, ㉢, ㉤, ㉦

✤ 규칙에 맞게 빈 곳에 알맞게 색칠해 보세요.

❹
• 가로: 오른쪽으로 갈수록 색칠된 칸이 시계 방향으로 한 칸씩 이동합니다.
• 세로: 아래쪽으로 갈수록 색칠된 칸이 시계 반대 방향으로 한 칸씩 이동합니다.

✤ 연산 기호의 규칙을 찾아 □ 안에 알맞은 수를 구해 보세요.

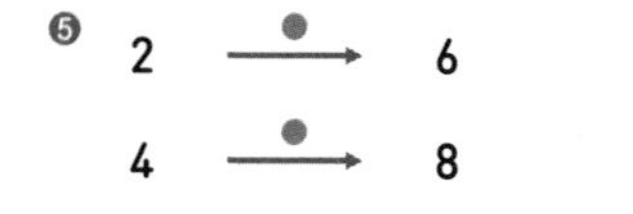

❺
2 —●→ 6
4 —●→ 8
9 —●→ 13
12 —●→ 16

왼쪽 수보다 4 큰 수가 오른쪽 수입니다.

❻
8 —◆→ 2
9 —◆→ 3
13 —◆→ 7
17 —◆→ 11

왼쪽 수보다 6 작은 수가 오른쪽 수입니다.

❼
2 —■→ 4
5 —■→ 10
7 —■→ 14
9 —■→ 18

왼쪽 수의 2배가 오른쪽 수입니다.

❽
1 —▲→ 7
3 —▲→ 21
5 —▲→ 35
8 —▲→ 56

왼쪽 수의 7배가 오른쪽 수입니다.

TEST 4 마무리 평가

✤ 기준에 따라 나눈 것을 보고 왼쪽에 들어가야 하는 그림에는 '왼', 오른쪽에 들어가야 하는 그림에는 '오'를 써넣으세요.

❶

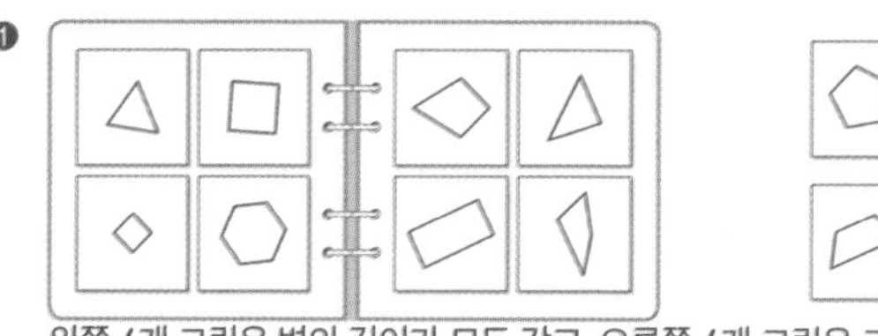

: 왼

: 오

왼쪽 4개 그림은 변의 길이가 모두 같고, 오른쪽 4개 그림은 그렇지 않습니다.

❷

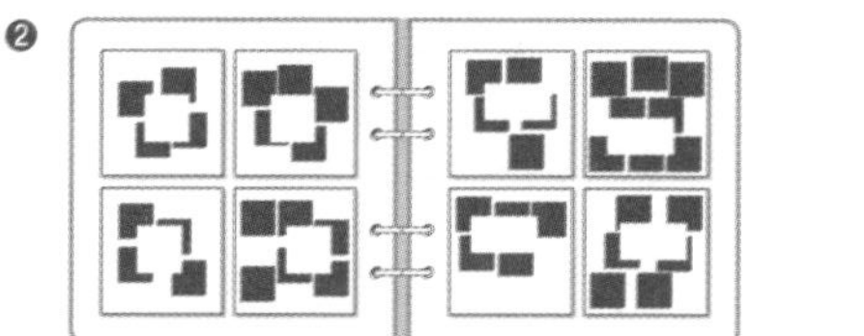

: 왼

: 오

왼쪽 4개 그림은 흰색 정사각형이 보이고, 오른쪽 4개 그림은 흰색 가로로 긴 직사각형이 보입니다.

✤ 주어진 단어들 사이의 관계를 생각하여 나뭇가지 그림으로 분류하려고 합니다. □ 안에 알맞은 기호를 써넣으세요.

❸

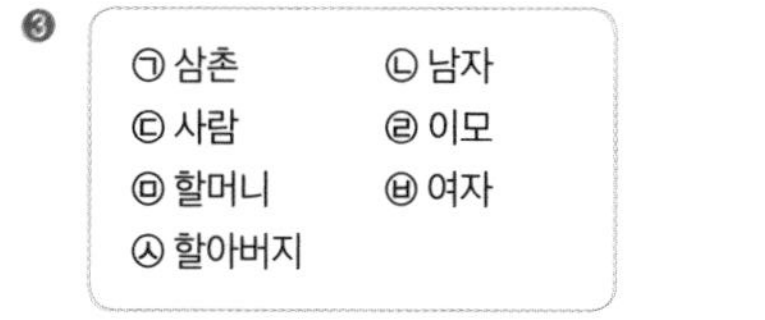

㉠ 삼촌
㉡ 남자
㉢ 사람
㉣ 이모
㉤ 할머니
㉥ 여자
㉦ 할아버지

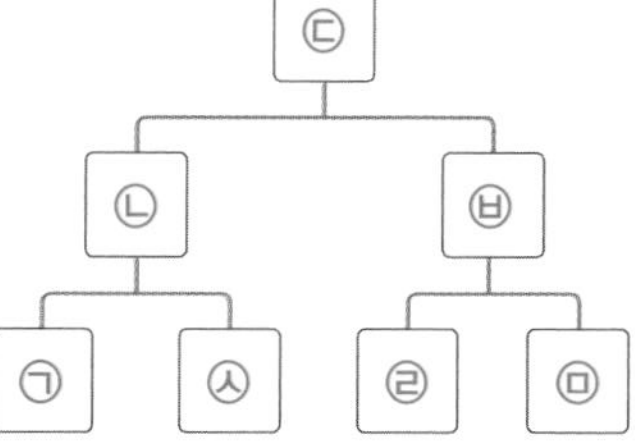

✤ 관계를 보고 빈 곳에 알맞은 도형을 그리거나 색칠해 보세요.

❹

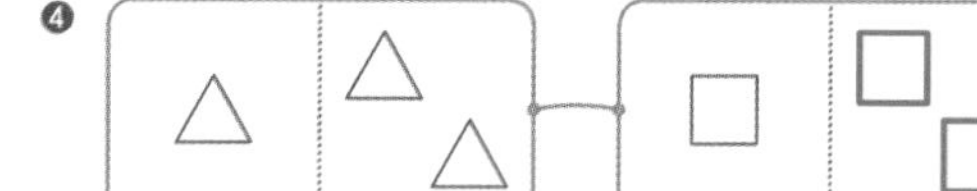

개수가 2개로 되었습니다.

❺

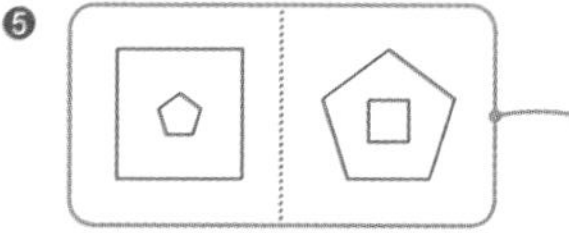

안과 밖에 있는 도형이 서로 바뀌었습니다.

❻

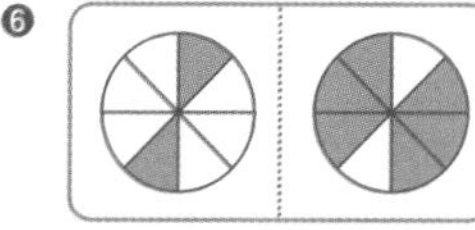

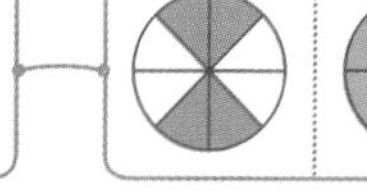

색이 반전되었습니다.

✤ 연산 기호의 규칙을 찾아 선으로 이어 보세요.

❼ 3■3=8, 4■5=19, 6■4=23

❽ 2■5=14, 6■2=16, 3■7=20

두 수의 합을 2배 한 수입니다.

두 수의 곱에서 1을 뺀 수입니다.

마무리 평가

TEST 5 마무리 평가

제한 시간 15분
맞은 개수 / 7개

✤ 기준에 따라 나누었습니다. 잘못 들어간 그림을 찾아 ×표 하세요.

❶

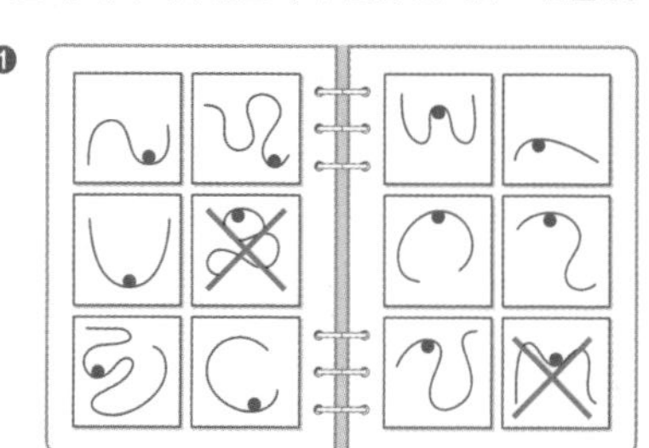

왼쪽 그림은 원 아랫부분이 선과 만나고, 오른쪽 그림은 원 윗부분이 선과 만납니다.

✤ 주어진 알파벳 중에서 다음 조건을 모두 만족하는 알파벳을 쓰세요.

A	B	C	D	E	F	G	H	I	K
L	M	N	O	P	R	S	T	V	W

❷

㉠ 둘러싸인 곳이 있는 알파벳 A, B, D, O, P, R
㉡ 연필을 떼지 않고 한 번에 그릴 수 있는 알파벳 B, D, O, P, R
㉢ 굽은 선으로만 만들어진 알파벳 O

답: O

❸

㉠ 옆으로 반을 접을 때 완전히 겹쳐지는 알파벳 A, H, I, M, O, T, V, W
㉡ 연필을 떼지 않고 한 번에 그릴 수 있는 알파벳 I, M, O, V, W
㉢ 곧은 선 2개로 만들어진 알파벳 V

답: V

✤ 규칙을 찾아 빈 곳에 알맞은 그림을 그려 넣으세요.

❹

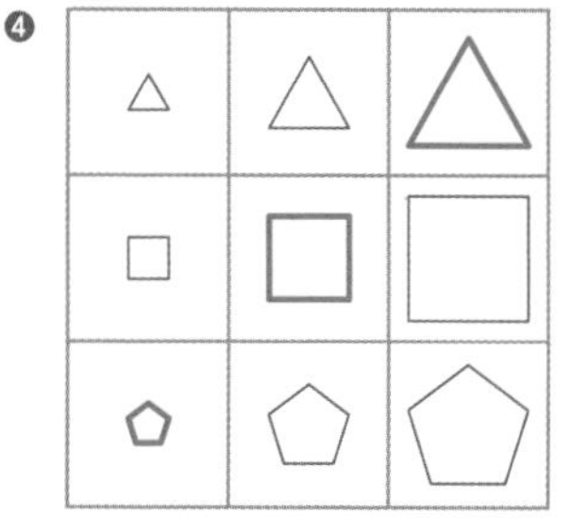

오른쪽으로 갈수록 도형이 커지고, 아래쪽으로 갈수록 도형의 변의 개수가 한 개씩 늘어납니다.

❺

오른쪽으로 갈수록 ○는 오른쪽, △는 왼쪽으로 이동하고, 아래쪽으로 갈수록 ○는 아래쪽, △는 위쪽으로 이동합니다.

✤ 연산 기호의 규칙에 맞게 답을 적었습니다. 답이 잘못된 식 하나를 찾아 ×표 하세요.

❻

3●4=4	8●5=8	5●4=5
7●2=7	9●5=9	2●3=2 (×)

두 수 중 큰 수입니다.

❼

6★2=13	4★5 = 21	4★3=13
8★1=9	3★7=20 (×)	7★9=64

두 수의 곱에 1을 더한 수입니다.

pensées

pensées

씨투엠 지식과상상 since 2013 연구소

교재 소개 및 난이도 안내

*일부 교재 출시 예정입니다.

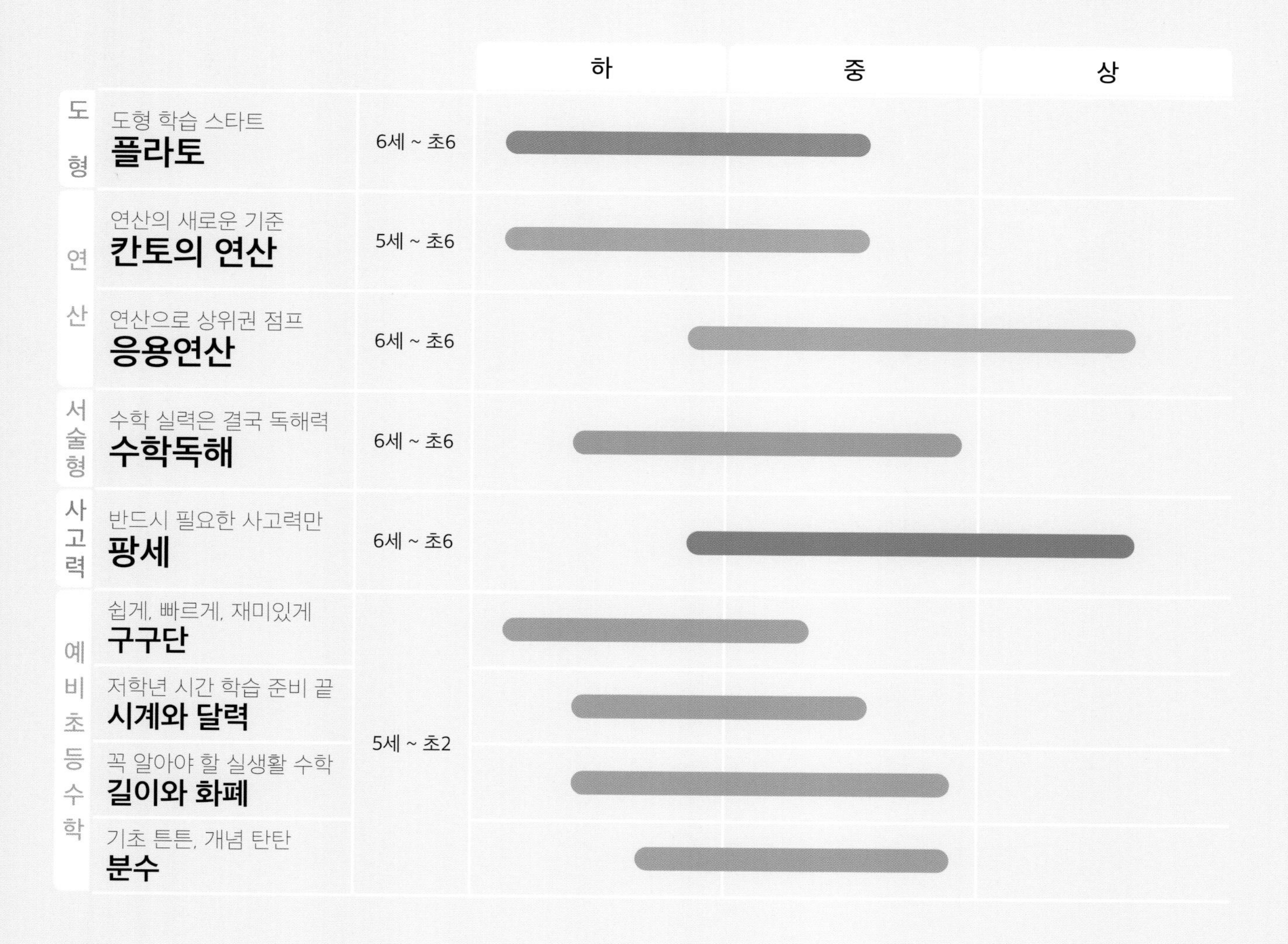

하
중
상
도형
도형 학습 스타트
플라토
6세 ~ 초6
연산
연산의 새로운 기준
칸토의 연산
5세 ~ 초6
연산으로 상위권 점프
응용연산
6세 ~ 초6
서술형
수학 실력은 결국 독해력
수학독해
6세 ~ 초6
사고력
반드시 필요한 사고력만
팡세
6세 ~ 초6
예비초등수학
쉽게, 빠르게, 재미있게
구구단
저학년 시간 학습 준비 끝
시계와 달력
꼭 알아야 할 실생활 수학
길이와 화폐
기초 튼튼, 개념 탄탄
분수
5세 ~ 초2

Man is but a reed,
the most feeble thing in nature;
but he is a thinking reed,

"인간은 자연에서 가장 연약한 갈대에 불과하다.
하지만 인간은 생각하는 갈대이다."

Blaise Pascal, 블레즈 파스칼

씨투엠 초등 수학 교구 상자

펜토미노턴

평면 공간감각을 길러주는 회전 펜토미노 퍼즐

+

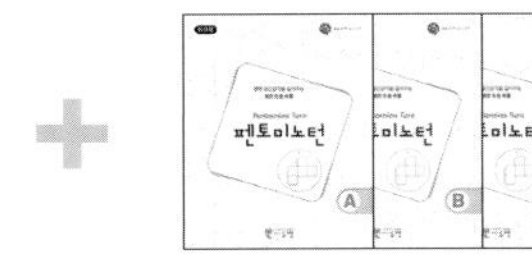

초등학생들이 어려워하는 '평면도형의 이동'을 펜토미노와 패턴블록으로 도형을 직접 돌려 보며 재미있게 해결하는 공간감각 퍼즐입니다.

큐브빌드

입체 공간감각을 길러주는 멀티큐브 퍼즐

+

머릿속으로 그리기 어려운 입체도형을 쌓기나무와 멀티큐브를 이용하여 직접 만들어 위, 앞, 옆 모양을 관찰하고, 다양한 입체 모양을 만드는 공간감각 퍼즐입니다.

폴리탄

도형 감각을 길러주는 입체 칠교 퍼즐

+

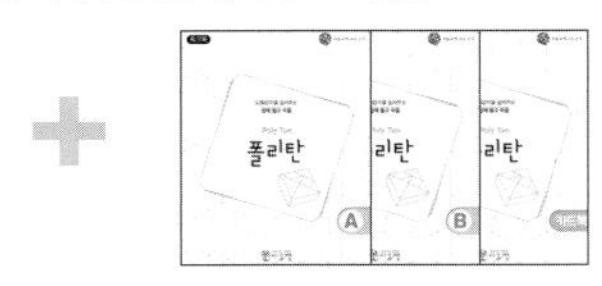

정사각형을 7조각으로 자른 '입체 칠교'와 직각이등변삼각형을 붙인 '입체 볼로'를 활용하여 평면뿐만 아니라 다양한 입체도형 문제를 해결하는 퍼즐입니다.

트랜스넘버

자유자재로 식을 만드는 멀티 숫자 퍼즐

+

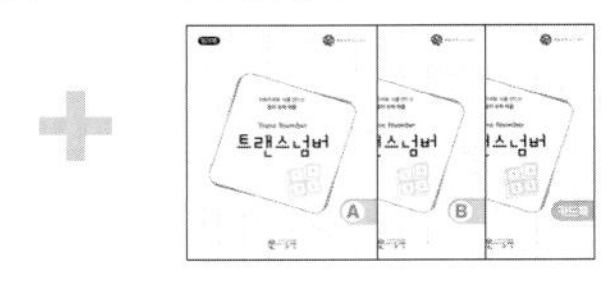

자유자재로 식을 만들고 이를 변형, 응용하는 활동을 통해 연산 원리와 연산감각을 길러주는 멀티 숫자 퍼즐입니다.

머긴스빙고

수 감각을 길러주는 창의 연산 보드 게임

+

빙고 게임과 머긴스 게임을 활용하여 수 감각과 연산 능력을 끌어올리고 전략적 사고를 키우는 사고력 보드 게임입니다.

폴리스퀘어

공간감각을 길러주는 입체 폴리오미노 보드 게임

+

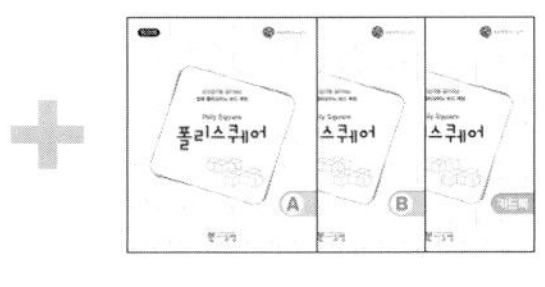

모노미노부터 펜토미노까지의 폴리오미노를 이용하여 다양한 모양을 만들어 보고, 여러 가지 땅따먹기 게임 등을 통해 공간감각을 기를 수 있는 보드 게임입니다.

큐보이드

입체를 펼치고 접는 전개도 퍼즐

+

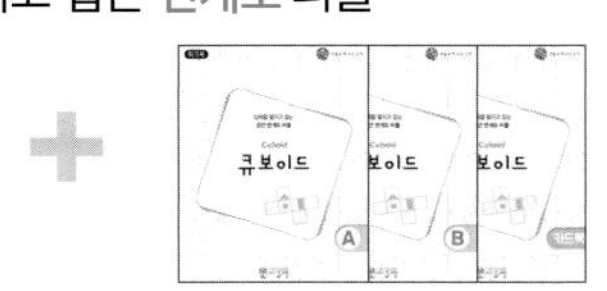

여러 가지 모양의 면을 자유롭게 연결하여 접었다 펼치는 활동을 통해 정육면체, 직육면체 전개도의 모든 것을 알아보는 전개도 퍼즐입니다.